轻松汉语

——初级汉语精读（上册）

主　　编　王尧美
编　　著　王尧美　张杏春　任晓艳
英语翻译　孙鹏程
韩语翻译　李昌炫

北京大学出版社
PEKING UNIVERSITY PRESS

图书在版编目（CIP）数据

轻松汉语：初级汉语精读（上册）/王尧美主编. —北京：北京大学出版社，2006.11

（北大版对外汉语教材·基础教程系列）

ISBN 7-301-07961-3

Ⅰ. 轻… Ⅱ. 王… Ⅲ. 汉语-对外汉语教学-教材 Ⅳ. H195.4

中国版本图书馆CIP数据核字（2006）第117925号

书　　　　名：轻松汉语：初级汉语精读（上册）
著 作 责 任 者：王尧美　主编
责　任　编　辑：贾鸿杰
标　准　书　号：ISBN 7-301-07961-3/H·1219
出　版　发　行：北京大学出版社
地　　　　址：北京市海淀区成府路205号 100871
网　　　　址：http://www.pup.cn
电　　　　话：邮购部 62752015　发行部 62750672　编辑部 62752028　出版部 62754962
电　子　信　箱：zpup@pup.pku.edu.cn
印　　刷　　者：北京大学印刷厂
经　　销　　者：新华书店
787毫米×1092毫米　16开本　14.75印张　插页1　374千字
2006年11月第1版　2006年11月第1次印刷
印　　　　数：0001~3000册
定　　　　价：46.00元（含CD两张）

目录

前　言

一、编写说明

本人2002年在韩国工作期间，为完成国家汉办的调研项目，对韩国十几所大学的中文教材做了广泛深入的调查，回国后又对国内市场上的对外汉语教学的教材作了比较细致的研究，发现与《高等学校外国留学生汉语教学大纲》（简称《大纲》）配套的比较合适的教材较少。《轻松汉语》这套教材是完全依据《大纲》而编写的。

《轻松汉语——初级汉语精读》以培养学习者的汉语交际能力为目标，既可用于长期进修学习，也可用于短期教学。教学对象为汉语初级阶段的学习者。教材分上下两册，上册30课，下册25课，一共55课。可供每周8～10学时，每学期18～20周的课堂教学使用一个学年。

课文内容取材于真实的交际环境，涉及的生活面较广，从不同的侧面展现来自不同文化背景的留学生在中国的真实生活。所选用的词语、句式契合留学生的实际需要，课堂上学过的，马上就可以在生活中使用，能有效地建立初学者的自信心。

词汇、语言点紧扣国家汉办《大纲》，每一课的中心话题都依据《大纲》短期强化的交际项目而编写。

课本的编写设计也吸收了第二语言习得理论如任务型语言教学最新的研究成果，强调课堂教学中以学生为中心，重视学生活动，重视任务实践，语言生动活泼。

二、上册教材体例

1.课文：形式上由两段对话和一段叙述性语段组成。内容包括社会交往、点菜吃饭、寻医问药、邮电通信、参观旅游等，涵盖《大纲》中的初等交际项目的26个功能项目。

2.语法注释： 选择《大纲》要求的语法点进行解释说明，说明和例子都注意使用简练、易懂的语言，适合学生的水平。

3.练习： 练习设计力求体现第二语言学习的习得规律。练习主要分四类，这四类练习体现了第二语言学习过程中螺旋式上升的过程。具体地说：

第一类："朗读句子"、"组词成句"和"选词填空"等，主要练习对词语、句子结构及课文的理解。

第二类："完成句子"主要考查对重点词语的理解和运用。

第三类："回答问题"主要是对重点语法点的练习。

第四类："讨论题"或"小作文"主要考察学习者用口头或书面的形式对本课交际话题的综合表述能力。

三、编写人员

本套教材的编写人员都是在对外汉语教学第一线工作多年的高校教师。他们在教学实践中积累了丰富的教学经验，又有相当深厚的理论修养，他们主持或承担了许多重要的科研项目，并承担过多种对外汉语教学教材的编写工作，这一切都保证了本套教材的高质量。

在本套教材即将付梓之际，我们向北京大学出版社沈浦娜主任、责任编辑贾鸿杰老师表示衷心感谢，在本套教材的编写过程中，他们给了我们很多的建议和鼓励，感谢他们为这套教材顺利地出版付出的心血和汗水。

在这里我们要感谢山东大学国际教育学院的领导和同事的支持，感谢那些为我们提过建议的外国留学生和中文老师，最后我们还要感谢一直支持我们的家人。

王尧美

2006年8月

朴大佑

男，26 岁，韩国来华留学生。

罗伯特

男，26 岁，德国来华留学生。

李知恩

女，22 岁，韩国来华留学生。

海 伦

女，24 岁，美国来华留学生。

刘老师

男，45 岁，留学生的老师，有一个女儿。

王 玲

女，32 岁，贸易公司职员，有一个儿子。

张 明

男，23 岁，中国大学生。

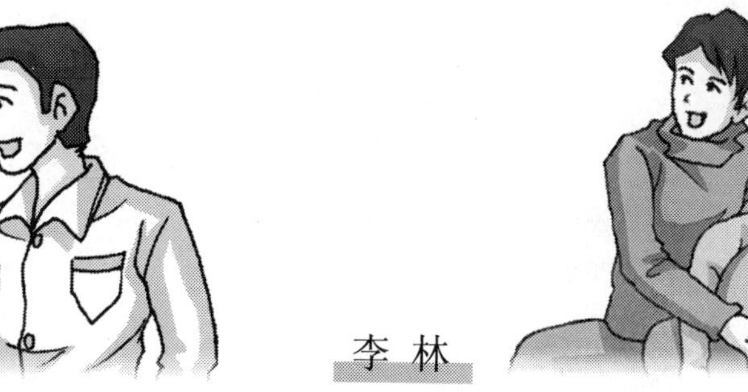

李 林

男，26 岁，贸易公司职员。

Dì-yī kè Yǔ yīn (yī)

第一课 语音（一）

Lesson One Phonetics(one)

제 1 과 어음[1]

一、声母／The initials／성모

汉语共有以下21个声母：

There are 21 initials in Chinese phonetics：

중국어에는 아래와 같이 21개의 성모가 있다:

b p m f d t n l g k h j q x zh ch sh r z c s

二、发音舌位／ Position of the tongue／ 발음기관과 혀의 위치

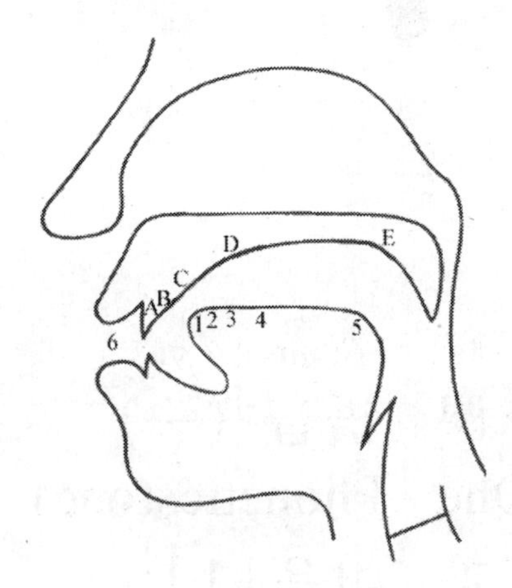

1. 舌尖	1. the tip of the tongue	1. 설첨 （ 혀끝 ）
2. 舌尖	2. the tip of the tongue	2. 설첨 （ 혀끝 ）
3. 舌尖	3. the tip of the tongue	3. 설첨 （ 혀끝 ）
4. 舌面	4. the blade of the tongue	4. 설면 （ 혓바닥 ）
5. 舌根	5. the back of the tongue	5. 설근 （ 혀뿌리 ）
6. 上下唇	6. upper and lower lips	6. 상하순 （ 위아랫 입술 ）
A. 上齿背	A. back of the upper front teeth	A. 상치배 （ 윗니안쪽 ）
B. 上齿龈	B. the bony ridge behind the upper front teeth	B. 상치은 （ 윗잇몸 ）
C. 上腭前部	C. the front of upper palate	C. 상악전부 （ 윗턱 ）
D. 硬腭前部	D. the front of hard palate	D. 경악전부 （ 굳은 입천장 앞부분 ）
E. 软腭	E. soft palate	E. 연　악 （ 여린 입천장 ）

三、发音部位及发音方法／Position of articulation and manner of articulation／발음부위 및 방법

1. 舌尖前音 (舌尖抵住上齿背 A)	z c s
2. 舌尖中音 (舌尖抵住上齿龈 B)	d t n l
3. 舌尖后音 (舌尖抵住上腭前部 C)	zh ch sh r
4. 舌面音 (舌面前部接触硬腭前部 D，舌尖下垂)	j q x
5. 舌根音 (舌根抵住软腭 E，舌尖下垂)	g k h
6. 唇齿音 (上齿轻碰下唇)	f
7. 双唇音 (上下唇先合上后发音)	b p m

1. Alveolar (the tip of the tongue closes to or touches the back of the upper front teeth A)	z c s
2. Postalveolar (the tip of the tongue against the upper teeth ridge B)	d t n l
3. Retroflex (the tongue curls back so that it touches the upper palate C)	zh ch sh r
4. Glottal (the front of blade of tongue touches the front of hard palate D, and the tip of tongue hangs down)	j q x
5. Velar (formed with the back of the tongue touching the soft palate and the tip of tongue hangs down E)	g k h
6. Labiodental (the upper teeth touches the lower lip)	f
7. Bilabial (close lips and then pronunce)	b p m

1. 혀끝 앞소리: 혀끝을 윗니 안쪽에 댄다 A	z c s
2. 혀끝 가운데 소리: 혀끝을 윗잇몸에 댄다 B	d t n l
3. 혀끝 뒤 소리: 혀끝을 윗 입 천장에 댄다 C	zh ch sh r
4. 혀 위 소리: 혓 바닥의 앞쪽이 경구개(굳은입천장)에 닿도록 한다. D 혀끝은 아래로 한다	j q x
5. 혀 안소리: 혀뿌리를 여린 입천장에 대고 혀끝은 아래로 한다	g k h
6. 입술 치아 소리: 윗니가 아랫입술에 가볍게 닿았다 떨어 지며 발음한다	f
7. 양입술 소리: 위 아랫입술을 붙였다 떼며 발음한다	b p m

练习 Exercises 연습 문제

一、朗读下列声母：／ Read the following initials：／아래의 성모를 읽으시오：

1. d t n l　　2. b p m f　　3. zh ch sh r
4. z c s　　5. j q x　　6. g k h

二、辨音：／Discrimination：／성모구별하기：

1. b p　　2. d t　　3. g k　　4. j zh z　　5. p f
6. c ch　　7. s sh　　8. j q x　　9. zh ch sh r　　10. n l
11. c k　　12. r l　　13. x q s　　14. m f n　　15. p q

Dì-èr kè Yǔ yīn (èr)

第二课 语音（二）

Lesson Two Phonetics(two)

제 2 과 어음 [2]

一、韵母 / The finals / 운모

韵母：韵母是由单个元音、元音和元音、元音和辅音构成的。汉语拼音中共有38个韵母。

There are 38 finals in Chinese phonetics. They are made up of single vowels, vowel and vowel together, vowels and consonants together.

운모는 하나의 모음 또는 모음과 모음, 모음과 자음으로 구성된다. 한어병음에는 모두 38 개의 운모가 있다.

韵母总表 / List of finals / 운모총표

	i	u	ü
a	ia	ua	
o		uo	
e	ie		üe
ai		uai	
ei		uei (ui)	
ao	iao		
ou	iou (iu)		
an	ian	uan	üan
en	in	uen (un)	ün
ang	iang	uang	
eng	ing	ueng	
ong	iong		

练习 Exercises 연습 문제

一、朗读下列韵母:/ Read the following finals:/아래의 운모를 유의하여 읽으시오:

ɑ o e i u ü er

ɑi ei ɑo ou ɑn en ɑng eng ong

iɑ iɑo ie iu iɑn in iɑng ing iong

uɑ uo uɑi ui uɑn un uɑng ueng

üe üɑn ün

二、辨音:/ Discrimination:/다음 운모를 분별해 보시오:

1. e u
2. ɑ e
3. ɑ o
4. i ü
5. u ü
6. ei ie
7. iɑn iɑng
8. en eng
9. in un
10. uɑn üɑn
11. in ing
12. uo ou
13. un ün
14. iou iong

Dì-sān kè　　Yǔ yīn (sān)

第三课　语音 (三)

Lesson Three　Phonetics(three)

제 3 과 어음 [3]

二、拼写规则 / Spelling rules / 한어병음 쓰기 규칙

1. **声母在前，韵母在后。**
Initials precedes the finals.
성모를 앞에 쓰고 운모를 뒤에 쓴다.

2. **表中空白部分表示汉语拼音中无此音。**
The blanks suggest there are no such syllables in Chinese phonetics.
표에서 빈 칸으로 된 부분은 해당 음이 없는 것이다.

3. **以 i，u 开头的韵母，在零声母（没有声母）音节中，如果 i,u 后面还有别的元音，就改为 y 和 w。**
In syllables without initials but with the finals beginning with i, u, if there are other vowels after i, u, i, u should be changed into y, w.
자음 없이 i 로 시작하는 음절은 i 를 y 로 바꾸어 표기한다.
자음 없이 u 로 시작하는 음절은 u 를 w 로 바꾸어 표기한다.
如： ia → ya　　ian → yan　　ua → wa　　uen → wen
如果 i，u 后没有别的元音，就在 i,u 前加 y 和 w。
If there are no vowels after i, u, y & w are be put before i, u.
만약에 i,u 다음에 다른 모음이 없을 때는 i 앞에 y 를 더해주고, u 앞에 w 를 더 해준다. (i 하나로 된 음절은 yi 로 표기하고, u 하나로 된 음절은 wu 로 표기한다)
如： i → yi　　in → yin　　u → wu

4. **以 ü 开头的韵母，在零声元音节中一律加 y，而且 ü 上两点要省略。**
In syllables without initials but with finals beginning with ü, y should be added to the beginning with ü changed to u.
자음 없이 ü 로 시작하는 음절은 ü 를 yu 로 바꾸어 표기한다.
如： ü → yu　　üe → yue

5. **ü 或以 ü 为韵头的韵母与 j，q，x 相拼时，ü 上两点要省略。**
Ü should be written as u when ü comes after j, q, x.
ü 또는 ü 로 시작한 음절이 가 자음 j q x 와 결합하면 u 로 바꾸어 표기한다.
如： ju　　qu　　xue

6. **iou、uei 和 uen 三个韵母与声母相拼时，要写为 iu 、ui 和 un。**
iou、uei and uen should be changed into iu 、ui and un when the initials are added to them.
운모 iou 가 자음과 결합하면 iu 로 바꾸어 표기한다.
운모 uei 가 자음과 결합하면 ui 로 바꾸어 표기한다.
운모 uen 이 자음과 결합하면 un 으로 바꾸어 표기한다.
如： dui　　qiu　　hun

三、声调／Tones／성조

汉语共有4个声调，一声（55）、二声（35）、三声（214）、四声（51），还有一种叫轻声，没有声调，发音时声音短且轻。

如：妈（mā） 麻（má） 马（mǎ） 骂（mà） 吗（ma）

声调示意图／Diagram of tones／성조 표시 도

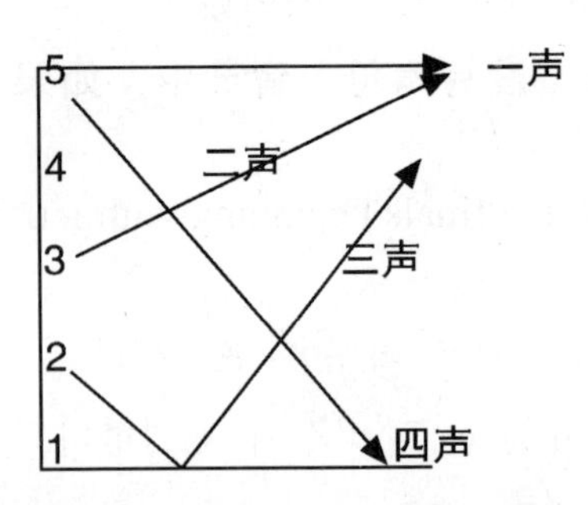

5 高 high-pitch / 고

4 半高 mid-high-pitch / 반고

3 中 middle-pitch / 중

2 半低 mid-low-pitch / 반저

1 低 low-pitch / 저

> 声调口诀：一声平，二声扬，三声拐个弯，四声降。
>
> 一声高而平，二声由中到高，三声先降后升，四声由高到低。

- There are four tones in Chinese. 1st tone（55), 2nd tone （35), 3rd tone （214） 4th tone（51）and neutral tone.
- The 1st tone is marked with a line （“ɑ” + “ˉ” = “ā”). This is a high, even and constant tone.
- The 2nd tone is marked with a rising line （“ɑ” + “ˊ” = “á”). This is a rising tone that grows stronger.
- The 3rd tone is marked with a hook （“ɑ” + “ˇ” = “ǎ”). This tone falls and fades first, then rises and grows strong.
- The 4th tone is marked with a falling line （“ɑ” + “ˋ” = “à”). This is a quickly falling and fading tone. This is a tone which falls and fades quickly.
- Neutral Tone: Some syllables have no specific tone, and then no sign is put above any vowel. The sound is short and soft.

Eg：妈（mā） 麻（má） 马（mǎ） 骂（mà） 吗（ma）

중국어에는 1 성(55), 2 성(35), 3 성(214), 4 성(51)의 4 개의 성조가 있다.

경성은 성조가 없으며 짧고 가볍게 발음한다. 1 성은 높고 평평하며, 2 성은 가운데서시작해 올라가며, 3 성은 내려갔다가 올라가며, 4 성은 높은 데서 낮은 데로 내려간다.

练习 Exercises 연습 문제

一、朗读下列音节：/ Read the syllables : /아래의 음절을 유의하여 읽으시오:

1. yīn yīng
2. wǎn wǎng
3. dēng dōng
4. tēng tōng
5. kēng kōng
6. yān yāng
7. jiàn jiàng
8. xiān xiāng
9. xū kū
10. yí yín
11. jù lù
12. gùn gèn
13. duī diū
14. qù tù
15. hùn hèn
16. wèn wèng

二、朗读下列音节：/ Read the syllables : /아래의 음절을 유의하여 읽으시오:

1. bàgōng
2. jiātíng
3. kāfēi
4. xīnkǔ
5. hēibǎn
6. shēngcí
7. shēngdiào
8. dúyīn
9. hépíng
10. báyá
11. lǐjiě
12. mázuì
13. xuéxí
14. gébì
15. bǎodān
16. bǎochí
17. lǚyóu
18. nǐhǎo
19. nǔlì
20. mǔqin
21. jiěshì
22. fùxí
23. xìngfú
24. zìjǐ
25. hànyǔ
26. zuòyè
27. shàngkè
28. xiàkè
29. xiūxi
30. zàijiàn
31. míngtiān
32. jīnnián

三、听后给下列拼音加上声调：/ Listen and put tone markings on the syllables : / 녹음을 들은 후 성조를 □시하시오:

1. bu dui
2. yin yue
3. yi qi
4. hui jia
5. lao shi
6. xiao gou
7. dian nao
8. xue sheng
9. ju zi
10. jiao shi
11. su she
12. fu qin
13. peng you
14. xue xi
15. ni hao
16. ke neng
17. kan jian
18. zui hou
19. han yu
20. lan qiu
21. hui da
22. yao qiu

四、听后填上声母：／Listen and fill the blanks with initials:／ 녹음을 들은 뒤 성모를 써넣으시오:

1. ___ai___ong___i
2. ___i___ao
3. ___an___u
4. ___ong___uo
5. ___i___ing
6. ___ong___i
7. ___i___uan
8. ___ang___ian
9. ___ue___iao
10. ___uang___ie
11. ___an___ao
12. ___a___ao
13. ___uan___ian
14. ___en___i
15. ___i___ian
16. ___ie___un
17. ___ui___uo
18. ___an___uo
19. ___ing___i
20. ___i___uang

五、听后填上韵母：／Listen and fill the blanks with finals:／ 녹음을 들은 뒤 운모를 써 넣으시오:

1. z___j___
2. zh___m___
3. zh___y___
4. x___j___
5. q___zh___
6. g___x___
7. z___y___
8. j___l___
9. z___q___
10. ch___h___

Dì-sì kè　Yǔ yīn　(sì)

第四课　语音（四）

Lesson Four　Phonetics (four)

제 4 과　어음 [4]

一、变调 / Tone sandhi / 성조변화

（一）三声的变调 / 3rd tone sandhi / 삼성의 변화

1. **两个三声在一起，前一个三声变成二声，书写时声调仍标为三声。**

   The 3rd tone, when immediately followed by another 3rd tone, should be pronounced in the 2nd tone,but the tone marking remains the same.

   두 개의 3성이 겹칠 경우 앞의 3성은 제 2성으로 변한다.

   다만 표기할 때는 그대로 3성으로 표기한다.

2. **三声后为轻声时,此三声变为半三声。**

   The 3rd tone, when immediately followed by a neutral tone, should be pronounced in the half part of 3rd tone.

   3성 뒤에 경성이 올 때는 반3성으로 변한다. 반3성이란 3성의 앞 부분 즉 내려가는 부분만 발음하는 것을 말한다.

（二）"一"和"不"的变调 / Tone sandhi of "一" and "不" / "一"와 "不"의 성조변화

1. "一"的变调：

   Tone sandhi of "一":

   "一"의 성조변화：

   "一"作为数字单独使用时，读一声。

   The word "yi" (meaning "one") is usually of 1st tone.

   숫자 단독으로 사용할 때는 그대로 1성으로 읽는다.

   如：一(yī)

   "一" 后的字词为一声、二声或三声时，"一"读四声。

   It will be pronounced with 4th tone when directly preceding a 1st tone, 2nd tone or 3rd tone.

   뒤에 1.2.3성이 올 때는 4성으로 읽는다.

   如：一天 (yì tiān)　一年 (yì nián)　一起 (yì qǐ)

   "一"后的字词为四声时，"一"读二声。

   However, this word will be pronounced with 2nd tone when directly preceding a 4th tone.

   뒤에 4성이 올 때는 2성으로 읽는다.

   如：一个 (yí gè)

2. “不”的变调：

Tone sandhi of “不”:

不의 성조변화 :

“不”后的字词为一声、二声或三声时，“不”的读音不变，仍读四声。

The word “bu” (meaning “not”) is usually pronounced in the 4th tone when followed by 1st, 2nd or 3rd tones.

不뒤에 오는 낱말이 1.2.3성일 때에는 원래 그대로 4성으로 읽는다.

如：不吃 (bù chī) 不忙 (bù máng) 不想 (bù xiǎng)

“不”后的字词为四声时，“不”变为二声。

However, this word will be pronounced with 2nd tone when directly preceding a 4th tone.

不 뒤에 4성이 올 때 는 2성으로 읽는다.

如：不对 (bú duì) 不去 (bú qù)

二、儿化 / R-ending retroflexion / 儿化

儿化是汉语普通话的一种语音现象，就是后缀“儿”不自成音节，而和前头的音节合在一起，使前一音节的韵母成为卷舌韵母。儿化音节的注音法是在原音节后加上“r”。

The final “儿” “er” is sometimes attached to another final to form a r-ending retroflexion and when this is used, it is no longer an independent syllable. The r-ending retroflexion is represented by the letter “r” added to the final.

중국어 보통화에 있는 음운현상으로 뒤의 儿은 그 자체로는 음절을 형성하지 않고.

앞의 다른 음절과 결합해서 앞 음절의 운모를 권설운모화 한다.

儿化한 음절의 표기법은 원래 음절의 끝에 r을 붙여주면 된다.

如：玩儿 (wánr) 花儿 (huār)

练习 Exercises 연습 문제

一、朗读下列音节，注意三声的变调：/ Read the syllables and pay attention to 3rd tone sandhi : / 아래의 음절을 3성의 성조 변화에 유의하여 읽으시오 :

1. nǐ hǎo	2. hěn hǎo	3. gěi wǒ
4. biǎoyǎn	5. dǎrǎo	6. jiǎnshǎo
7. shuǐguǒ	8. dǎzhēn	9. guǎngbō

10. huǒchē	11. jǐnzhāng	12. kǎoyā
13. liǎng zhāng	14. xiǎoxīn	15. biǎogé
16. gǎndào	17. kǎochá	18. kěnéng
19. lǚyóu	20. jiěchú	21. xiǎohé
22. bǐjiào	23. gǎnxiè	24. gǎnmào
25. kǎoshì	26. kǎolǜ	27. mǐfàn
28. jiěshì	29. jiějie	30. sǎngzi
31. nǎinai	32. nuǎnhuo	33. nǐmen
34. wǒmen	35. wǎnshang	

二、朗读下列音节，注意"一"和"不"的变调：/ Read the syllables and pay attention to the tone sandhi of "一" and "不": /아래의 음절을 不 와 一 의 성조변화에 유의하여 읽으시오:

1. yìbān	2. yìtiān	3. yìbiān
4. yìshēng	5. yìxiē	6. yìxīn
7. yìsī	8. yìlián	9. yìshí
10. yìqǐ	11. yìtóu	12. yìtuán
13. yìzhí	14. yìyuán	15. yìdiǎnr
16. yílǜ	17. yìtǐ	18. yìshǒu
19. yìhuǎng	20. yíjù	21. yìlán
22. yíbàn	23. yídàn	24. yídìng
25. yílù	26. yíqiè	27. yíxià
28. yīxiàn	29. bùshuō	30. búkuì
31. bùxī	32. bùxiǔ	33. búkàn
34. búqù	35. bùjū	36. bùchéng
37. bùfú	38. bùnán	39. bùpíng
40. bùrú	41. bùrán	42. bùxíng
43. bùhǎo	44. búbì	45. bùjǐn
46. bùkě	47. búmàn	48. bùxiǎng
49. búshì	50. búduì	51. búbiàn
52. búcuò	53. búdàn	54. bùguǎn
55. búgòu		

三、朗读下列音节，注意儿化韵的读法：
Read the syllables and pay attention to r-ending retroflexion:
아래의 음절을 얼화운에 유의하여 읽으시오:

1.小孩儿（xiǎoháir）
2. 没事儿（méi shìr）
3. 一点儿（yì diǎnr）
4. 一块儿（yíkuàir）
5. 好玩儿（hǎowánr）
6. 冰棍儿（bīnggùnr）
7. 有空儿（yǒu kòngr）
8. 圆圈儿（yuánquānr）
9. 香水儿（xiāngshuǐr）
10. 有味儿（yǒu wèir）
11. 汽水儿（qìshuǐr）
12. 花篮儿（huālánr）

Dì-wǔ kè　Nǐ hǎo

第五课　你好

Lesson Five　How do you do

제5과　안녕하세요

生词 Vocabulary 새로 나온 단어

1. 你	(代)	nǐ	you	너. 자네.
2. 好	(形)	hǎo	good; fine	좋다. 안녕하다. 건강하다
3. 您	(代)	nín	you	당신.
4. 贵	(形)	guì	respected	귀하다. 값이 비싸다
5. 姓	(动)	xìng	surname; family name	성씨 ; 성이... 이다
6. 我	(代)	wǒ	I	나. 저. 자기자신
7. 叫	(动)	jiào	name	~라고 부르다(하다)
8. 什么	(代)	shénme	what	무엇. 어떤. 무슨
9. 名字	(名)	míngzi	name	이름. 성명
10. 是	(动)	shì	to be	... 이다 ; 맞다. 옳다
11. 人	(名)	rén	people	사람. 인간
12. 吗	(助)	ma	*aux. used at the end of an interrogative sentence*	문말에 쓰여 의문을 나타냄
13. 哪	(代)	nǎ	which; who; what	어느. 어떤. 어디. 어느 것
14. 国	(名)	guó	country	국가. 나라
15. 们		men	*used after a personal pronoun or a noun to show plural number*	복수접미사
16. 这	(代)	zhè	this	이. 이것 ; 이때. 이제. 지금
17. 朋友	(名)	péngyou	friend	벗. 친구
18. 对	(形)	duì	right; correct	맞다. 옳다 ;... 에게. 향하여.
19. 他	(代)	tā	he	그. 그 사람
20. 不	(副)	bù	no	동사나 형용사, 다른 부사 앞에서 부정을 나타냄

专名 Proper Noun 고유명사

1. 张明	Zhāng Míng	Zhang Ming	장 명
2. 李知恩	Lǐ Zhī'ēn	Li Zhi'en	이지은
3. 罗伯特	Luóbótè	Robert	로버트
4. 中国	Zhōngguó	China	중국
5. 韩国	Hánguó	Korea	한국
6. 朴大佑	Piáo Dàyòu	Piao Dayou	박대우
7. 海伦	Hǎilún	Helen	헬렌
8. 美国	Měiguó	the United States of America	미국
9. 德国	Déguó	German	독일

一 你好
Yī Nǐ hǎo

Part One How do you do

1 안녕 하세요

（张明和李知恩初次见面）
(Zhang Ming and Li Zhi'en meet each other for the first time)
(장명과 이지은의 첫 대면)

张 明： 你好！
Zhāng Míng: Nǐ hǎo!

李知恩： 你好！您贵姓？
Lǐ Zhī'ēn: Nǐ hǎo! Nín guì xìng?

张 明： 我姓张，我叫张明，你叫什么名字？
Zhāng Míng: Wǒ xìng zhāng, wǒ jiào Zhāng Míng, nǐ jiào shénme míngzi?

李知恩： 我叫李知恩。你是中国人吗？
Lǐ Zhī'ēn: Wǒ jiào Lǐ Zhī'ēn. Nǐ sh' Zhōngguó rén ma?

张 明： 我是中国人，你是哪国人？
Zhāng Míng: Wǒ shì Zhōngguó rén, nǐ shì nǎ guó rén?

李知恩： 我是韩国人。
Lǐ Zhī'ēn: Wǒ shì Hánguó rén.

二 这是你朋友吗
Èr Zhè shì nǐ péngyou ma

Part Two Is this your friend
2 이 분은 당신의 친구입니까

(朴大佑遇见海伦和罗伯特)
(Piao Dayou meets Helen and Robert)
(박대우와 헬렌, 로버트의 만남)

海伦： 你好！
Hǎilún： Nǐ hǎo！

朴大佑： 你们 好！ 这 是 你 朋友 吗？
Piáo Dàyòu： Nǐmen hǎo！ Zhè shì nǐ péngyou ma？

海伦： 对，他 是 我 朋友，他 叫 罗伯特。
Hǎilún： Duì，tā shì wǒ péngyou，tā jiào Luóbótè.

罗伯特： 你 好！
Luó bó tè： Nǐ hǎo！

朴大佑： 你 好！ 我 叫 朴 大佑，你 是 美国 人 吗？
Piáo Dàyòu： Nǐ hǎo！ Wǒ jiào Piáo Dàyòu，nǐ shì Měiguó rén ma？

罗伯特： 不，我 不 是 美国 人，我 是 德国 人。
Luó bó tè： Bù，wǒ bú shì Měiguó rén，wǒ shì Déguó rén.

三 我叫海伦
Sān Wǒ jiào Hǎilún

Part Three My name is Helen

3 저는 헬렌이라고 합니다

我叫海伦，我是美国人。罗伯特是德国人，张明是中国人，朴大佑是韩国人，他们都是我的朋友。
Wǒ jiào Hǎilún，wǒ shì Měiguó rén. Luóbó tè shì Déguó rén，Zhāng Míng shì Zhōngguó rén，Piáo Dàyòu shì Hánguó rén， tāmen dōu shì wǒ de péngyou.

语法 Grammar 어법

一、“是”字句 / Sentence with “是” / 是자문

肯定式： S+ 是 +N。

Affirmative form: Somebody / something + 是 / be(am / is / are)...

긍정형 〈주어 + 是 + 명사〉의 형식이다.

例：1.我是中国人。

2.她是学生。

否定式： S+ 不 + 是 +N。

Negative form: Somebody / something + 不 + 是 / be(am / is / are)...

부정형 〈주어 + 不 + 是 + 명사〉의 형식이다.

例：1.她不是老师。

2.我不是中国人。

疑问式： S+ 是 +N+ 吗?

Interrogative form:Somebody / something + 是 / be(am / is / are)...+ 吗?

의문문 〈주어 + 是 + 명사 + 吗?〉의 형식이다.

例：1.你是中国人吗?

2.她是老师吗?

二、用“吗”的疑问句 / Interrogative sentences using “吗” / 吗를 이용한 의문문

“吗”加在陈述句句末，表示疑问：陈述句 + 吗？

Interrogative sentence with **吗**(*an aux. word*) at the end of the sentence, is to express the doubt or question. Sentence pattern: declarative sentence + **吗**?

吗가 진술문 끝에 오면 의문을 나타낸다. 즉, <진술문 + 吗?>의 형식이다.

예를 들면

例：1. 你是中国人吗？

2. 她是你朋友吗？

3. 她是老师吗？

三、“们” / A word which indicates plural number / 们은 복수를 표시한다

用于人称代词或名词后，表示复数。

“们” is used after a personal pronoun or a noun to show plural number.

Pron+ 们：你 / 我 / 他 / 她 + 们.

인칭대명사의 복수형식은 단수인 인칭대명사 뒤에 们을 덧붙인 것이다.

例：1. 你们好！

2. 我们是韩国人。

3. 他们是中国人。

练习 Exercises 연습 문제

一、朗读句子: / Read the sentences aloud : / 아래 문장을 읽으시오 :

1. 你好！
2. 您贵姓？
3. 我姓张，我叫张明。
4. 你是中国人吗？
5. 你是哪国人？
6. 他是我朋友。
7. 我不是美国人，我是德国人。
8. 我叫海伦，我是美国人。

二、组词成句:／Make sentences with the following words:／주어진 낱말로 문장을 완성하시오:

1. 叫　你　名字　什么

2. 是　朋友　吗　这　你

3. 不　我　美国人　是

三、选词填空:／Fill in the blanks with the given words:／빈 칸에 적당한 낱말을 채워 넣으시오:

是　叫　贵　国　姓

1.你______什么名字?

2.您______姓?

3.我______李。

4.你是哪______人?

5.我______中国人。

四、完成句子:／Complete the sentences:／다음 문장을 완성하시오:

1.______________________________，不是我朋友。(是)

2.______________________________，我们是中国人。(这)

3.我是美国人，______________________________? (吗)

4.我朋友姓张，______________________________? (姓)

5.我是韩国人，______________________________? (哪国)

五、改写句子:/Rewrite the sentences:/ 보기처럼 문장을 바꿔 쓰시오:

你是中国人。→你是中国人吗?

1.他是老师。

2.他是我朋友。

3.我姓朴。

4.我是韩国人。

六、小作文:／Little composition:／간단한 작문 연습:

介绍一下儿你自己。

Dì-liù kè　　Nǐ xué xí shén me

第六课　你 学习 什么

Lesson Six　What do you study

제 6 과　당신은 무엇을 배웁니까

生词 Vocabulary 새로 나온 단어

1.学习	（动）	xuéxí	to study; to learn	학습. 공부하다
2.留学生	（名）	liúxuéshēng	international student; foreign student	유학생
3.呢	（助）	ne	*an aux. word*	어기조사
4.老师	（名）	lǎoshī	teacher	선생님. 은사. 스승
5.去	（动）	qù	to go to; to leave for	가다
6.哪儿	（代）	nǎr	where	어디. 어느 곳
7.商店	（名）	shāngdiàn	shop; store	상점
8.回	（动）	huí	to come back	돌다. 돌아오다. 돌아가다
9.家	（名）	jiā	home; family	집
10.再见	（动）	zàijiàn	good-bye; bye-bye	헤어질 때 하는 인사말
11.她	（代）	tā	she	그 여자. 그녀
12.的	（助）	de	*an aux. word*	~ 의
13.教	（动）	jiāo	to teach; to instruct	가르치다
14.周末	（名）	zhōumò	weekend	주말
15.有时候		yǒu shíhou	sometimes	경우에 따라서는. 어떤 때는.
16.踢	（动）	tī	to play	차다. 발길질하다
17.足球	（名）	zúqiú	football; soccer	축구
18.网吧	（名）	wǎngbā	Internet bar; cyber café	PC 방
19.常常	（副）	chángcháng	often; always	항상. 늘. 종종
20.逛	（动）	guàng	to wander	구경하다

专名 Proper Noun 고유명사

1.刘	Liú	Liu, *a surname*	류(성씨)
2.汉语	Hànyǔ	Chinese language	중국어

一 你学习什么
Yī Nǐ xuéxí shénme

Part One What do you study

1 당신은 무엇을 배웁니까

(罗伯特和李知恩聊天儿)
(Robert and Li Zhi'en are chatting together)
(로버트와 이지은의 대화)

罗伯特：你是 留学生 吗？
Luóbótè： Nǐ shì liúxuéshēng ma？
李知恩：是，我是 留学生。你呢？
Lǐ Zhī'ēn： Shì，wǒ shì liúxuéshēng. Nǐ ne？
罗伯特：我也是 留学生。你学习 什么？
Luóbótè： Wǒ yě shì liúxuéshēng. Nǐ xuéxí shénme？
李知恩：我 学习 汉语，你也 学习 汉语 吗？
Lǐ Zhī'ēn： Wǒ xuéxí Hànyǔ，nǐ yě xuéxí Hànyǔ ma？
罗伯特：对，我也 学习 汉语。
Luóbótè： Duì，wǒ yě xuéxí Hànyǔ.

二　你去哪儿
Èr　Nǐ qù nǎr

Part Two　Where are you going
2 어디 가십니까

（校园里，海伦遇到刘老师）
(Helen comes across Mr. Liu)
（교내에서 헬렌이 류선생님과 만남）

海伦：刘老师，您好！
Hǎilún: Liú lǎoshī, nín hǎo!

刘老师：你好，海伦，你去哪儿？
Liú lǎoshī: Nǐ hǎo, Hǎilún, nǐ qù nǎr?

海伦：我去商店，老师呢？
Hǎilún: Wǒ qù shāngdiàn, lǎoshī ne?

刘老师：我回家。
Liú lǎoshī: Wǒ huí jiā.

海伦：老师再见！
Hǎilún: Lǎoshī zàijiàn!

刘老师：再见！
Liú lǎoshī: Zàijiàn!

三 我 学习 汉语
Sān Wǒ xuéxí Hànyǔ

Part Three I study Chinese
3 저는 중국어를 배웁니다

我 叫 朴 大佑，是 韩国 人，我 学习 汉语。李知恩 也是 韩国 人，她 也 学习 汉语。刘 老师 是 我们 的 老师，他 教 我们 汉语。
Wǒ jiào Piáo Dàyòu, shì Hánguó rén, wǒ xuéxí Hànyǔ. Lǐ Zhī'ēn yě shì Hánguó rén, tā yě xuéxí Hànyǔ. Liú lǎoshī shì wǒmen de lǎoshī, tā jiāo wǒmen Hànyǔ.

我 周末 有时候 踢 足球，有时候 去 网吧。李知恩 周末 常常 逛 商店。
Wǒ zhōumò yǒu shíhou tī zúqiú, yǒu shíhou qù wǎngba. Lǐ Zhī'ēn zhōumò chángcháng guàng shāngdiàn.

语法 Grammar 어법

一、"……呢？"/Sentence ending with "呢?"/어기조사~경

N / pron+ 呢?

当后一个说话者所问内容与前句有重复时，通常用"主语＋呢？"构成省略问句。

When the latter speaker asks the same content as the previous sentence, we usually use "the subject + 呢？" to form elliptical question sentence.

명 / 대명사 + 呢?

어기조사 呢는 명사. 대명사 뒤에 놓여서 화자가 앞에서 말한 내용과 뒤에 묻고자 하는 내용이 중복될 때, 불필요한 중복을 피하기 위하여 <주어는요?> 의 형식으로 생략식의문문을 만든다.

例：1. 我是韩国人，你呢？（＝你是哪国人？）
2. 我叫张明，你呢？（＝你叫什么名字？）
3. 我去图书馆，你呢？（＝你去哪儿？）

二、"也" / Too; also / 부사也

表示类同。

Indicate similar condition.

유사함을 표시한다.

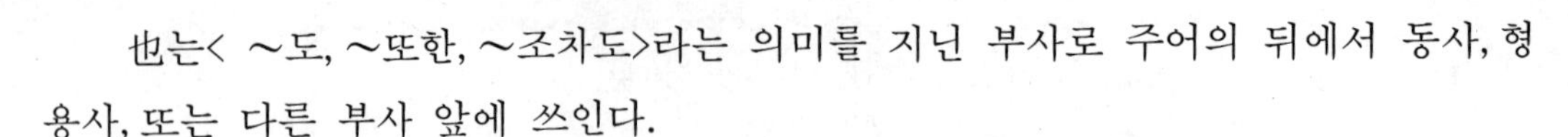

也는< ~도, ~또한, ~조차도>라는 의미를 지닌 부사로 주어의 뒤에서 동사, 형용사, 또는 다른 부사 앞에 쓰인다.

例：1.你去图书馆，我也去图书馆。

2.我是中国人，她也是中国人。

3.你学习韩国语，我也学习韩国语。

三、状语 / Adverbial modifier /상어

动词、形容词前面的修饰成分叫状语。副词、形容词、时间词等都可以做状语。

The word in front of verb, adjective is called adverbial modifier. Adverb, adjective, or words meaning time can all be functioned as the adverbial modifier.

위어(술어)를 수식 제한하는 낱말이나 사조를 상어라 하는데 동사. 형용사 앞에서 수식하는 성분을 말하며, 상어가 될 수 있는 낱말이나, 사조로는 부사. 형용사. 시간사 등으로 이들은 모두 상어가 될 수 있다.

例：1.他很忙。

2.我认真工作。

3.我每天都有课。

练习 Exercises 연습 문제

一、朗读句子: / Read the sentences aloud : /아래 문장을 읽으시오 :

1.你是留学生吗?

2.我是留学生,你呢?

3.我也是留学生。

4.你学习什么?

5.你去哪儿?

6.我去商店，老师呢?

7.他教我们汉语。

8.我周末有时候踢足球，有时候去网吧。

二、组词成句: / Make sentences with the following words : /주어진 낱말로 문장을 완성하시오 :

1. 常常　我　商店　周末　逛

2. 刘老师　我们　是　老师　的

3. 你　汉语　学习　吗　也

三、选词填空:/Fill in the blanks with the given words:/ 빈 칸에 적당한 낱말을 채워 넣으시오:

学习　回　逛　教

1. 我________家。
2. 他________汉语。
3. 刘老师________我们汉语。
4. 李知恩常常________商店。

四、完成句子:/Complete the sentences:/ 다음 문장을 완성하시오:

1. 我是留学生，________________________。(也)
2. 我去商店，________________________？(哪儿)
3. 我学习汉语，________________________？(呢)
4. 周末我学习汉语，________________________。(有时候)
5. ________________________，有时候也学习。(常常)

五、改写句子:/Rewrite the sentences:/ 보기처럼 문장을 바꿔 쓰시오:

我学习汉语，你学习汉语。→我学习汉语，你也学习汉语。

1. 我是中国人。他是中国人。
2. 我回家，你回家。
3. 我逛商店，他逛商店。

六、交际练习:/ Communication exercise:/간단한 작문 연습:

两人见面互相打招呼。

Dì-qī kè　Rènshi nǐ hěn gāoxìng

第七课　认识 你 很 高兴

Lesson Seven　Nice to Meet You

제 7 과　당신을 알게 되어서 매우 기뻐요

生词 Vocabulary 새로 나온 단어

1. 认识	(动)	rènshi	to meet; to get to know	알다. 인식하다.
2. 很	(副)	hěn	very	매우. 아주. 몹시
3. 高兴	(形)	gāoxìng	to be glad; happy	기쁘다. 유쾌하다. 기뻐하다
4. 吧	(助)	ba	*an aux. word*	상의. 제안. 명령. 의문의 어기조사
5. 二	(数)	èr	two	둘. 둘째
6. 班	(名)	bān	class	반. 조. 근무
7. 学生	(名)	xuésheng	student	학생
8. 办公室	(名)	bàngōngshì	office	사무실
9. 教室	(名)	jiàoshì	classroom	교실
10. 最近	(名)	zuìjìn	recently	최근. 요즘
11. 忙	(形)	máng	busy	바쁘다
12. 每天	(名)	měitiān	everyday	매일
13. 上	(动)	shàng	to go to	정해진 시간에 일이나 공부를 하다. 다니다.
14. 课	(名)	kè	course; class	수업. 강의. 수업과목
15. 作业	(名)	zuòyè	homework	숙제. 과제. 작업.
16. 多	(形)	duō	many; much	많다
17. 太	(副)	tài	(*used to express approval or compliments*) excessively; too; over	몹시. 너무. (부정부사가 앞에 와서) 그다지. 별로
18. 觉得	(动)	juéde	to feel	~라고 생각하다.
19. 难	(形)	nán	hard; different	어렵다. 좋지 않다. 흉하다
20. 语法	(名)	yǔfǎ	grammer	어법
21. 发音	(名)	fāyīn	pronunciation	발음하다. 발음
22. 容易	(形)	róngyì	easy	쉽다. 용이하다
23. 友好	(形)	yǒuhǎo	friendly; amicable	우호적이다
24. 有意思		yǒu yìsi	interesting	재미있다. 흥미 있다

一 认识你很高兴
Yī Rènshi nǐ hěn gāoxìng

Part One Nice to meet you
1 당신을 알게 되어서 매우 기뻐요

（下课后，李知恩遇到刘老师）
(Li Zhi'en comes across Mr. liu after class)
(방과후, 이지은이 류선생님을 만남)

李知恩：老师，您好！
Lǐ Zhī'ēn： Lǎoshī，nín hǎo！
刘老师：你好！你是韩国人吧？
Liú lǎoshī： Nǐ hǎo！ Nǐ shì Hánguó rén ba？
李知恩：对，我是韩国人，我叫李知恩，是二班的学生。
Lǐ Zhī'ēn： Duì，wǒ shì Hánguó rén， wǒ jiào Lǐ Zhī'ēn， shì èr bān de xuésheng．
刘老师：认识你，很高兴。
Liú lǎoshī： Rènshi nǐ，hěn gāoxìng．
李知恩：认识您，我也很高兴。您去哪儿？
Lǐ Zhī'ēn： Rènshi nín，wǒ yě hěn gāoxìng． Nín qù nǎr？
刘老师：我去办公室，你呢？
Liú lǎoshī： Wǒ qù bàngōngshì， nǐ ne？
李知恩：我去教室。
Lǐ Zhī'ēn： Wǒ qù jiàoshì．

二　你最近忙吗
Èr　Nǐ zuìjìn máng ma

Part two　Are you busy recently
2 당신은 요즘 바쁘십니까

（张明和李知恩谈学习情况）
(Zhang Ming talks about study with Li Zhi'en)
(장명과 이지은이 학습에 대해 얘기하는 장면)

张　明：李知恩，你最近忙吗？
Zhāng Míng: Lǐ Zhī'ēn, nǐ zuìjìn máng ma?

李知恩：很忙，我每天都上课，作业也很多。你忙吗？
Lǐ Zhī'ēn: Hěn máng, wǒ měitiān dōu shàngkè, zuòyè yě hěn duō. Nǐ máng ma?

张　明：我不太忙。你觉得汉语难吗？
Zhāng Míng: Wǒ bú tài máng. Nǐ juéde Hànyǔ nán ma?

李知恩：语法很难，发音很容易。你觉得韩国语难吗？
Lǐ Zhī'ēn: Yǔfǎ hěn nán, fāyīn hěn róngyì. Nǐ juéde Hánguóyǔ nán ma?

张　明：不太难。
Zhāng Míng: Bú tài nán.

三 我们 都 学习 汉语
Sān Wǒmen dōu xué xí Hàn yǔ

Part Three All of us study Chinese
3 우리 모두 중국어를 배웁니다

中国 很大， 中国人很友好。我们 都是留学生， 我们 都 学习
Zhōngguó hěn dà， Zhōngguó rén hěn yǒuhǎo. Wǒmen dōu shì liú xuéshēng, wǒmen dōu xué xí
汉语，汉语语法很 难，发音 很 容易，学习 汉语 很 有意思。
Hànyǔ，Hànyǔ yǔfǎ hěn nán，fāyīn hěn róngyì，xuéxí Hànyǔ hěn yǒu yì si.

语法 Grammar 어법

一、形容词谓语句／Sentence with adjectival predicates／ 형용사 술어문

汉语中的形容词可以做谓语，这样的句子叫形容词谓语句。

In Chinese, adjective can be used as the predicate, sentence with this kind of feature is called sentence with adjectival predicates.

중국어에서 형용사는 술어가 될 수 있는데 형용사가 술어의 주요성분이 되는 문형을 형용사 술어문이라고 한다.

例：1.老师好。

2.他很好。

3.我也很高兴。

4.我最近很忙。

做谓语的形容词前一般加程度副词，不加往往有对比的意思。

In front of adjectives used as predicates, there are always degree adverbs, without which it always means comparing.

술어가 되는 형용사 앞에는 그 정도를 나타내는 정도부사를 두는 것이 일반적이지만,정도부사 없이 형용사가 단독으로 술어가 되면, 문장이 완결되지 않고 비교의 뜻을 전제하는 말이 되므로 ,보통 대비되는 문장에 사용한다.

例：我忙，他不忙。

否定式：一般在形容词前加否定词。

Negative form: add negative words in front of adjectives.

부정식 : 부정형은 일반적으로 형용사 앞에 부정사 不를 둔다.

例：1.他不好。

2.我不高兴。

3.我最近不忙。

二、"吧"（1）／"吧"-ending sentence／ 어기조사 吧....（1）

"吧"用在疑问句句尾，有要求确认的意思。

"吧" is always used at the end of a interrogative sentence, it indicates a request for confirmation.

어기조사 吧를 사용하는 의문문 형식으로 吧는 의문문의 끝에 두며, 상대방의 확인을 구하는데 쓰인다.

例：1.你是韩国人吧？

2.你去商店吧？

3.你最近忙吧？

三、"都"／All／都

汉语的副词"都"只能出现在动词或形容词的前边，表示全部。

The adverb **"都"** is only used in front of verbs or adjectives, means all.

중국어에서 범위부사 都는 동사나 형용사의 앞에만 올 수 있으며, <전부>를 표시한다.

都+v./adj.

<都+동/형용사>의 형식이다.

例：1.他们都是学生。

2.我们都是韩国人。

3.我们都学习汉语。

4.他们都很好。

练习 Exercises 연습 문제

一、朗读句子:／Read the sentences aloud:／아래 문장을 읽으시오:

1. 你是韩国人吧?
2. 我是二班的学生。
3. 认识你，很高兴。
4. 认识您，我也很高兴。
5. 我去办公室，你呢?
6. 你最近忙吗?
7. 语法很难，发音很容易。
8. 韩国语不太难。

二、组词成句:／Make sentences with the following words:／주어진 낱말로 문장을 완성하시오:

1. 汉语　有　意思　很　学习
2. 都　我们　汉语　学习
3. 是　不　吧　你　也　中国人

三、选词填空:／Fill in the blanks with the given words:／빈 칸에 적당한 낱말을 채워 넣으시오:

多　每天　上课　难　有意思

1. 你们的作业________吗?
2. 我________都很忙。
3. 汉语________吗?
4. 学习汉语很________。
5. 我去教室________。

四、完成句子:／Complete the sentences:／ 다음 문장을 완성하시오:

1. ________________________________，作业也很多。(最近)
2. 爸爸很忙，妈妈也很忙，________________________________。(都)
3. 我是中国人，________________________________？（吧）
4. 她的汉语很好，________________________________。(太)
5. ________________________________，他是谁？（认识）

五、回答问题:／Answer the questions:／ 물음에 답하시오:

1. 你忙吗？（不）
2. 你好吗？（很）
3. 你的作业多吗？（太）
4. 你们高兴吗？（都）
5. 汉语很难吧？（容易）

六、小作文:／Little composition:／ 간단한 작문 연습:

认识你我很高兴。

Dì-bā kè Nǐ jiā yǒu jǐ kǒu rén
第八课 你家有几口人
Lesson Eight How many people are there in your family
제 8 과 당신 집에는 몇 식구가 있습니까

生词 Vocabulary 새로 나온 단어

1.有	(动)	yǒu	to have; to hold	가지고 있다. 소유하다. 있다(존재하다)
2.几	(代)	jǐ	how many	몇. 10 이하의 적은 수를 이름
3.口	(量)	kǒu	*for family members, knives, ect.*	식구(사람을 셀 때).
4.三	(数)	sān	three	3. 셋
5.爸爸	(名)	bàba	father; dad	아빠
6.妈妈	(名)	māma	mother; mum	엄마
7.工作	(动)	gōngzuò	to work	일. 노동. 직업 ; 일하다. 노동하다
8.大夫	(名)	dàifu	doctor	의사
9.五	(数)	wǔ	five	5. 다섯
10.哥哥	(名)	gēge	elder brother	오빠. 형
11.姐姐	(名)	jiějie	elder sister	누나. 어니
12.可以	(助动)	kěyǐ	can; may	~할 수 있다. 해도 좋다 ; 좋다. 괜찮다
13.给	(介)	gěi	for	주다 ; ~에게. ~을 위하여
14.介绍	(动)	jièshào	to introduce	소개하다. 중매하다
15.辅导	(动)	fǔdǎo	to tutor	학습. 훈련을 도우며 지도하다
16.当然	(副)	dāngrán	of course; certainly	당연하다. 물론이다<부> 당연히, 물론
17.当	(动)	dāng	to serve; to work as	적당하다. 알맞다 ; ~에 해당하다. ~라고 간주하다
18.怎么样	(代)	zěnmeyàng	how (*used to enquire about the nature, condition, manner of sb*)	어떠하냐. 어떻게
19.时间	(名)	shíjiān	time	시간. 시각
20.下午	(名)	xiàwǔ	afternoon	오후
21.今天	(名)	jīntiān	today	오늘. 현재. 목전
22.没	(副)	méi	not have; there is not	없다 ; 아직 ~ 않다
23.开始	(动)	kāishǐ	to begin; to start	시작되다. 개시하다 ; 개시. 시작. 처음
24.个	(量)	gè	*used before a noun which does not have a fixed measure word of its own*	개. 명. 사람
25.弟弟	(名)	dìdi	younger brother	남동생
26.妹妹	(名)	mèimei	younger sister	여동생

一　你家有几口人
Yī　Nǐ jiā yǒu jǐ kǒu rén

Part One How many people are there in your family

1 당신 집에는 몇 식구가 있습니까

（海伦和张明谈家庭情况）
(Helen talks about family with Zhang Ming)
(헬렌과 장명이 가족상황에 대한 얘기를 나눔)

海伦：张　明，你家有几口人？
Hǎilún：Zhāng Míng，nǐ jiā yǒu jǐ kǒu rén？

张　明：我家有三口人，爸爸、妈妈和我。
Zhāng Míng：Wǒ jiā yǒu sān kǒu rén，bàba，māma hé wǒ.

海伦：你爸爸、妈妈都工作吗？
Hǎilún：Nǐ bàba，māma dōu gōngzuò ma？

张　明：他们都工作。我爸爸是大夫，妈妈是老师，你家有几口人？
Zhāng Míng：Tāmen dōu gōngzuò. Wǒ bàba shì dàifu，māma shì lǎoshī，nǐ jiā yǒu jǐ kǒu rén？

海伦：五口人，爸爸、妈妈，哥哥、姐姐和我。
Hǎilún：Wǔ kǒu rén，bàba，māma，gēge，jiějie hé wǒ.

张　明：你哥哥、姐姐工作吗？
Zhāng Míng：Nǐ gēge，jiějie gōngzuò ma？

海伦：不工作，他们都是学生。
Hǎilún：Bù gōngzuò，tāmen dōu shì xuésheng.

二 你可以给我介绍一个辅导吗
Èr Nǐ kěyǐ gěi wǒ jièshào yí ge fǔdǎo ma

Part Two Would you please introduce me a tutor
2 당신은 저에게 과외교사를 소개해주실 수 있습니까

(李知恩和张明聊天儿)
(Li Zhi'en chats with Zhang Ming)
(이지은과 장명이 한담을 나눔)

李知恩: 张 明，你可以给我介绍一个辅导吗?
Lǐ Zhī'ēn: Zhāng Míng, nǐ kěyǐ gěi wǒ jièshào yí ge fǔdǎo ma?

张 明: 当然可以，我当你的辅导怎么样?
Zhāng Míng: Dāngrán kěyǐ, wǒ dāng nǐ de fǔdǎo zěnmeyàng?

李知恩: 太好了。你有时间吗?
Lǐ Zhī'ēn: Tài hǎo le. Nǐ yǒu shíjiān ma?

张 明: 我下午都有时间。
Zhāng Míng: Wǒ xiàwǔ dōu yǒu shíjiān.

李知恩: 我今天下午没有课。
Lǐ Zhī'ēn: Wǒ jīntiān xiàwǔ méiyǒu kè.

张 明: 我们今天下午开始辅导吧。
Zhāng Míng: Wǒmen jīntiān xiàwǔ kāishǐ fǔdǎo ba.

三　我家有五口人
Sān　Wǒ jiā yǒu wǔ kǒu rén

Part Three There are five people in my family
3 우리집에는 다섯 식구가 있습니다

我家有五口人，爸爸、妈妈、一个弟弟、一个妹妹和我。
Wǒ jiā yǒu wǔ kǒu rén，bàba，māma，yí ge dìdi，yí ge mèimei hé wǒ.

我爸爸是老师，妈妈不工作。弟弟和妹妹都是学生。我现在在中国学习汉语。我有很多中国朋友。
Wǒ bàba shì lǎoshī，māma bù gōngzuò. Dìdi hé mèimei dōu shì xuésheng. Wǒ xiànzài zài Zhōngguó xuéxí Hànyǔ. Wǒ yǒu hěn duō Zhōngguó péngyou.

语法 Grammar 어법

一、“有”字句 / “有” sentences / 有 자문

“有”可以表示领有。

“有” means possession or ownership.

有는 소유와 존재를 나타낸다.

肯定式: S+ 有 +N。

Affirmative form: Subject + 有 +Noun.

긍정형은< 주어 + 有 + 명사>의 형식이다.

例：1．这儿有咖啡。

2．我有中国朋友。

3．我有咖啡。

否定式: S+ 没有 +N。

Negative form: Subject + 没有 + Noun.

부정형은 <주어 + 没有+명사 >의 형식이다.

例：1．这儿没有咖啡。

2．我没有中国朋友。

3．我没有咖啡。

疑问式: S+ 有 +N+ 吗?

Interrogative form: Subject+ 有 +Noun+ 吗?

의문형은 <주어 + 有 +명사 + 吗 >의 형식이다.

例：1.这儿有咖啡吗？

2.你有中国朋友吗？

3.你有咖啡吗？

二、“可以” / Can; may /조동사可以

表示许可。

“可以” means permission.

可以는 허락을 나타낸다.

例：1.我可以说英语吗？

2.你可以问老师。

3.你可以走了。

三、“怎么样” / How about; what about / 대사怎么样

“怎么样”放在句尾，用来询问身体、学习等方面的情况。

“怎么样” is put at the end of sentences, which is to ask about the state of health, study and so on.

怎么样을 문장 끝에 놓으며, 신체건강상태나 학습등 다방면의 상황을 묻는데 쓰인다.

例：1.我给你介绍一个怎么样？

2.你们的老师怎么样？

3.今天的天气怎么样？

四、“吧”（2） / An aux. word /어기조사吧（2）

用在句末表示商量、提议、请求、命令等。

“吧” is usually put at the end of sentences, indicating discussion, proposal, request, or order etc.

어기조사 吧는 문 말에 놓여 상의, 건의, 요구, 명령의 어기를 나타낸다.

例：1.我们今天下午开始辅导吧。

2.我们一起走吧。

3.你走吧。

练习 Exercises 연습 문제

一、朗读句子:／Read the sentences aloud:／아래 문장을 읽으시오:

1. 你家有几口人？
2. 我家有三口人，爸爸、妈妈和我。
3. 我当你的辅导怎么样？
4. 我下午都有时间。
5. 我今天下午没有课。
6. 我们今天下午开始辅导吧。
7. 我有很多中国朋友。
8. 弟弟和妹妹都是学生。

二、组词成句:／Make sentences with the following words:／주어진 낱말로 문장을 완성하시오:

1. 爸爸　妈妈　你　工作　都　吗
2. 给　你　可以　介绍　我　辅导　一个　吗
3. 我　汉语　在　学习　中国　现在

三、选词填空:／Fill in the blanks with the given words:／빈 칸에 적당한 낱말을 채워 넣으시오:

开始　介绍　和　时间　工作

1. 我们什么时候__________学习？
2. 请你给我__________一个辅导老师。
3. 我__________朋友每天去教室做作业。
4. 你哥哥__________吗？
5. 我没有__________去你家。

四、完成句子:／Complete the sentences:／다음 문장을 완성하시오:

1. 我没有辅导，______________________________？（可以）

2．汉语很有意思，________________________。（当然）
3．我家有四口人，________________________？（几）
4．你教我汉语，________________________？（怎么样）
5．我有时间，________________________。（当）
6．________________________，我不去。（太……了）

五、回答问题：/Answer the questions:/ 물음에 답하시오:

1．你有时间吗？（有）
2．你有作业吗？（没有）
3．你的汉语怎么样？（怎么样）
4．你有几个哥哥？（有）
5．我们可以去你的办公室吗？（吧）

六、小作文：/Little composition:/ 간단한 작문 연습:

介绍你的家庭。

Dì-jiǔ kè　Míngtiān jǐ hào

第九课　明天 几 号

Lesson Nine　What is the date tomorrow

제 9 과　내일은 몇일 입니까

生词 Vocabulary 새로 나온 단어

1. 明天	（名）	míngtiān	tomorrow	내일
2. 号	（名）	hào	date	날짜
3. 月	（名）	yuè	month	달, 월
4. 二十八	（数）	èrshíbā	twenty-eight	스물 여덟. 28
5. 生日	（名）	shēngrì	birthday	생일
6. 今年	（名）	jīnnián	this year	금년. 올해
7. 多大		duō dà	how old	(시간이나 나이가)... 얼마인가
8. 二十三	（数）	èrshísān	twenty-three	스물 셋. 23
9. 岁	（名）	suì	year; age	해. 세월. 나이를 세는 단위. 살. 세
10. 一起	（副）	yìqǐ	altogether; together	같이. 함께
11. 买	（动）	mǎi	to buy	사다. 구입하다
12. 礼物	（名）	lǐwù	present; gift	선물
13. 点	（名）	diǎn	time; o'clock	시. 시간
14. 半	（名）	bàn	half	절반
15. 上网		shàng wǎng	to get on the Internet; to surf the net	인터넷에 접속하다
16. 星期六	（名）	xīngqīliù	Saturday	토요일
17. 打算	（动）	dǎsuàn	to intend; to plan	... 하려고 한다
18. 上午	（名）	shàngwǔ	morning	오전
19. 晚上	（名）	wǎnshang	evening; night	저녁
20. 吃	（动）	chī	to eat	먹다
21. 饭	（名）	fàn	meal	밥. 식사
22. 对不起		duìbuqǐ	pardon me; excuse me	미안합니다
23. 看	（动）	kàn	to see; to look (at)	보다. 읽다
24. 东西	（名）	dōngxi	things; object	물품. 물건
25. 星期天	（名）	xīngqītiān	Sunday	일요일

一 明天几号
Yī Míngtiān jǐ hào

Part One What is the date tomorrow
1 내일은 며칠입니까

（李知恩和朴大佑谈张明的生日）
(Li Zhi'en and Piao Dayou are talking about Zhang Ming's birthday)
(이지은과 박대우가 장명의 생일 에 대해 얘기함)

朴大佑： 明天几号？
Piáo Dàyòu： Míngtiān jǐ hào？

李知恩： 五月二十八号，明天是张明的生日。
Lǐ Zhī'ēn： Wǔ yuè èrshíbā hào，míngtiān shì Zhāng Míng de shēngrì.

朴大佑： 是吗？他今年多大？
Piáo Dàyòu： Shì ma？Tā jīnnián duō dà？

李知恩： 二十三岁。
Lǐ Zhī'ēn： Èrshísān suì.

朴大佑： 今天下午我们一起去给他买礼物吧。
Piáo Dàyòu： Jīntiān xiàwǔ wǒmen yìqǐ qù gěi tā mǎi lǐwù ba.

李知恩： 好。几点去？
Lǐ Zhī'ēn： Hǎo. Jǐ diǎn qù？

朴大佑： 三点半怎么样？
Piáo Dàyòu： Sān diǎn bàn zěnmeyàng？

李知恩： 行。
Lǐ Zhī'ēn： Xíng.

二 我去网吧上网
Èr Wǒ qù wǎngbā shàng wǎng

Part Two I go to Internet bar to surf the Internet
2 저는 PC 방에 인터넷 하러 갑니다

(罗伯特和海伦谈周末打算)
(Robert and Helen are talking about the plan of weekend)
(로버트와 헬렌이 주말 스케줄을 얘기함)

罗伯特：今天 星期六，你打算 干 什么？
Luóbótè： Jīntiān xīngqīliù，nǐ dǎsuàn gàn shénme？
海伦：我 上午 学习，下午去 逛 商店。
Hǎilún： Wǒ shàngwǔ xuéxí，xiàwǔ qù guàng shāngdiàn.
罗伯特：我去 网吧 上 网。
Luóbótè： Wǒ qù wǎngba shàng wǎng.
海伦：我们 今天 晚上 一起吃 晚饭 怎么样？
Hǎilún： Wǒmen jīntiān wǎnshang yìqǐ chī wǎnfàn zěnmeyàng？
罗伯特：对不起，我 今天 晚上 没有 时间。明天 晚上 怎么样？
Luóbótè： Duìbuqǐ，wǒ jīntiān wǎnshang méiyǒu shíjiān. Míngtiān wǎnshang zěnmeyàng？
海伦：好的。
Hǎilún： Hǎode.

三 他去教室学习汉语

Sān Tā qù jiàoshì xuéxí Hànyǔ

Part Three He goes to classroom to study Chinese

3 그는 교실에 중국어 공부하러 갑니다

今天是星期六，朴大佑上午去商店买东西，下午去看朋友。
Jīntiān shì xīngqīliù，Piáo Dàyòu shàngwǔ qù shāngdiàn mǎi dōngxi，xiàwǔ qù kàn péngyou.
明天星期天，他去教室学习汉语。
Míngtiān xīngqītiān，tā qù jiàoshì xuéxí Hànyǔ.

语法 Grammar 어법

一、日期、星期及具体时间的表达 / The expression of date, week, and specific time / 날짜, 요일 및 구체적인 시간표시

汉语中日期的表达顺序为：

The order of date

중국어에서 날짜를 표시하는 순서는< 년, 월, 일>의 순서다:

年＋月＋日

The expression of dates:

例：1.2006年2月24日

2.2000年1月1日

在口语里，常用“号”，不用“日”。

In oral Chinese, we usually use “号” instead of “日”.

구어(회화)에서는 보통 号를 쓰고 日은 쓰지 않는다.

例：3月5号/6月28号/12月26号

汉语中星期的表达是：星期一、星期二、星期三、星期四、星期五、星期六、星期天（星期日）。

The expression of the days in a week: Monday, Tuesday, Wednesday, Thursday, Friday, Saturday, and Sunday.

중국어에서 요일의 표시는 星期1.2.3.4.5.6 과 같이 순서대로 나타내며 일요일은 星期天 또는 星期日로 나타낸다.

例：1.明天不是星期六。

2.后天星期六。

汉语中具体时间的表达是：点、分。

The expression of specific time is: hour and minute.

중국어에서 구체적인 시간의 표시법은 몇 시, 몇 분의 형식이다.

例：1：20　一点二十分

4：35　四点三十五分

8：30　八点半或八点三十分

二、名词谓语句 / Sentence with nounal predicates / 명사술어문

在汉语里，由名词、名词短语或数量词短语等直接做谓语的句子，叫名词谓语句。

In Chinese, sentence with noun, noun phrase or quantifier phrase function as predicate directly is called sentence with nounal predicates.

중국어에서 명사나 명사구 혹은 수량사구 등은 직접 술어역할을 하는데, 이러한 문장을 명사술어문이라고 한다.

例：1．今天二月二十四号。

2．他今年五十二岁。

3．现在七点半。

名词谓语句的否定式：不是 + 名词谓语，变成动词谓语句。

The negative form of sentence nounal predicates: "不是" + nounal predicate, which forms verb predicate sentence with verbal predicates.

명사술어문의 부정형은 <不是+ 명사술어> 으로, 동사술어문의 부정형식으로 바뀐다.

例：1．今天不是二月二十四号。

2．明天不是星期六。

三、定语 / Attribute / 한정어

汉语中定语的位置是在中心语的前面，用来修饰中心语。代词可以直接放在"爸爸、妈妈"等表示亲属称谓的词前做定语，可不加结构助词"的"，如例 1；一个代词或名词放在另一个名词前做定语，表示领属关系时，需要用结构助词"的"，如例 2、例 3。

In Chinese, the attribute is always put in front of the central word to modify it. Pronoun can put in front of kindred words as father、mother, using as an attribute without adding structural auxiliary "的", such as example 1; When a pronoun or noun preceeding another noun, using as attribute to indicate possession, the structural auxiliary "的" is needed, such as example 2 and example 3.

중국어에서 한정어 (주어나 목적어를 수식제한 하는 낱말이나 사조)는 중심어(수식제한을 받는 낱말)의 앞에 위치한다.

대명사는 "아빠" "엄마" 등과 같이 친속관계를 나타내는 말 앞에 놓여 한정어가 된다.

그렇지만 이때 결구조사 的 는 붙이지 알 아도 된다.

例: 1.他是我爸爸。

2.明天是我爸爸的生日。

3.你的生日是几月几号?

四、连动句 / Sentences with verbal constructions in series / 연동문

在动词谓语句中，同一主语有几个动词或动词短语连用，这样的句子叫连动句。

In sentence with verbal predicates, several verbs or verbal phrases connect together, and have the same subject, this sentence is called sentences with verbal constructions in series.

동사술어문에서 하나의 주어 아래 서로 관계가 있는 두 개 이상의 동사가 앞뒤에서 동작의 목적, 방법 등을 설명하는 문형을 연동문이라 한다.

例: 1. 下午我们去给他买礼物吧。

2. 我去网吧上网。

3. 他下午去逛商店。

练习 Exercises 연습 문제

一、朗读句子: / Read the sentences aloud: / 아래 문장을 읽으시오:

1. 明天几号?
2. 五月二十八号，明天是张明的生日。
3. 他今年多大?
4. 你有什么打算?
5. 我去网吧上网。
6. 晚上一起吃饭怎么样?
7. 朴大佑上午去商店买东西，下午去看朋友。
8. 他去教室学习汉语。

二、组词成句:/ Make sentences with the following words:/주어진 낱말로 문장을 완성하시오:

1. 我们 去 下午 他 给 礼物 买 吧

2. 他 一个 去 的 中国 朋友 婚礼 参加

3. 这 第一次 他 中国人 婚礼 参加 是 的

三、选词填空:/ Fill in the blanks with the given words:/ 빈 칸에 적당한 낱말을 채워 넣으시오:

号 买 看 参加 逛

1. 明天我去朋友家________朋友。
2. 我去商店________东西。
3. 这是我第一次________中国朋友的婚礼。
4. 你喜欢________商店吗?
5. 今天几________?

四、完成句子:/ Complete the sentences:/ 다음 문장을 완성하시오:

1. 明天星期天, ________________________________? (打算)
2. 你有时间吗? ________________________________? (一起)
3. 我今年 20 岁, ________________________________? (多大)
4. 7 号是他的生日, ________________________________。(给)
5. 今天星期一, ________________________________? (几)

五、回答问题:/ Answer the questions:/ 물음에 답하시오:

1. 今天几号?

2. 明天星期几?

3. 你的生日是几月几号?

4. 你去商店买什么?

5. 你去朋友家做什么?

六、小作文:/ Little composition:/ 간단한 작문 연습:

你周末有什么打算?

Dì-shí kè　Píngguǒ duōshao qián yì jīn
第十课　苹果 多少 钱 一 斤
Lesson ten　How much does one *jin* apple cost
제 10 과　사과 한 근에 얼마입니까

生词 Vocabulary 새로 나온 단어

1. 苹果	(名)	píngguǒ	apple	사과
2. 多少	(代)	duōshao	how much	얼마. 몇
3. 钱	(名)	qián	money	돈
4. 斤	(量)	jīn	*jin*, a classifier, half kilogram	근
5. 请问	(动)	qǐngwèn	May I ask…; Excuse me	말씀 좀 묻겠습니다.
6. 小贩	(名)	xiǎofàn	pedlar	소상인
7. 两	(数)	liǎng	two	둘
8. 块	(量)	kuài	Chinese yuan, (口)(*for silver dollars or* paper money)	중국화폐의 단위(元)
9. 便宜	(形)	piányi	cheap	값이 싸다
10. 一点儿	(数量)	yìdiǎnr	a little; a bit	조금. 조금도
11. 一共	(副)	yígòng	altogether; totally	합계. 전부. 모두
12. 九	(数)	jiǔ	nine	아홉. 9
13. 喜欢	(动)	xǐhuan	to like; to enjoy	좋아하다
14. 黑	(形)	hēi	black; dark	검다. 까맣다
15. 双	(量)	shuāng	pair	쌍. 켤레
16. 鞋子	(名)	xiézi	shoe	신발
17. 样子	(名)	yàngzi	appearance; shape	모양. 꼴. 형태
18. 颜色	(名)	yánsè	color	색. 색채.
19. 好看	(形)	hǎokàn	nice-looking; beautiful	보기 좋다
20. 那	(代)	nà	that	저것. 그것
21. 白	(形)	bái	white	흰색. 희다
22. 合适	(形)	héshì	suitable; proper	알맞다. 적당하다
23. 帽子	(名)	màozi	hat	모자
24. 最	(副)	zuì	(*used before adjectives or verbs to show the superlative degree*) most ;superlatively	가장. 제일
25. 棒球帽	(名)	bàngqiú mào	baseball cap	야구모자
26. 顶	(量)	dǐng	measure word (*used of sth. that has a top*)	모자의 양사
27. 更	(副)	gèng	still; even more	더욱. 한층 더
28. 知道	(动)	zhīdào	to know; to recognize	알다

专名 Proper Noun 고유명사

李林	Lǐ Lín	Li Lin	이림

一 苹果 多少 钱 一 斤
Yī Píngguǒ duōshao qián yì jīn

Part one How much does one *jin* apple cost
1 사과 한 근에 얼마입니까

（在市场，朴大佑买苹果）
(Piao Dayou is buying apples on the market)
（시장에서 박대우가 사과를 사는 장면）

朴大佑：请 问，苹果 多少 钱 一 斤？
Piáo Dàyòu：Qǐng wèn，píngguǒ duōshao qián yì jīn?

小贩：两 块 钱 一 斤。
Xiǎofàn：Liǎng kuài qián yì jīn.

朴大佑：太 贵 了。便宜 一点儿 吧。
Piáo Dàyòu：Tài guì le. Piányi yìdiǎnr ba.

小贩：你 买 几 斤？
Xiǎofàn：Nǐ mǎi jǐ jīn?

朴大佑：我 买 五 斤，一 块 八 吧。
Piáo Dàyòu：Wǒ mǎi wǔ jīn，yí kuài bā ba.

小贩：好 吧，这 是 五 斤，一共 九 块 钱。
Xiǎofàn：Hǎo ba，zhè shì wǔ jīn，yígòng jiǔ kuài qián.

二 我不喜欢黑的
Èr Wǒ bù xǐhuan hēi de

Part Two I don't like black ones
2 나는 검정 색을 좋아하지 않습니다

（李林陪女朋友买鞋子）
(Li Lin accompanies his girl friend to buy shoes)
(이림이 여자친구와 함께 신발을 사는 장면)

李林：这双鞋子怎么样？
Lǐ Lín: Zhè shuāng xié zi zěnmeyàng?

女朋友：样子还可以，颜色不太好看。
Nǚpéngyou: Yàngzi hái kěyǐ, yánsè bú tài hǎokàn.

李林：那双黑的呢？
Lǐ Lín: Nà shuāng hēi de ne?

女朋友：我不喜欢黑的，我喜欢白的。
Nǚpéngyou: Wǒ bù xǐhuan hēi de, wǒ xǐhuán bái de.

李林：那买白的吧。这双白的合适吗？
Lǐ Lín: Nà mǎi bái de ba. Zhè shuāng bái de héshì ma?

女朋友：很合适，买这双吧。
Nǚpéngyou: Hěn héshì, mǎi zhè shuāng ba.

三　帽子
Sān　Màozi

Part Three　The hat
3　모자

我和知恩都喜欢帽子。我最喜欢的是棒球帽，我有两顶黑
Wǒ hé Zhī'ēn dōu xǐhuan màozi. Wǒ zuì xǐhuan de shì bàngqiúmào, wǒ yǒu liǎngdǐng hēi
的，还有几顶白的。李知恩的帽子更多，一共有多少顶，她也不知
de, hái yǒu jǐ dǐng bái de. Lǐ Zhī'ēn de màozi gèng duō, yígòng yǒu duōshao dǐng, tā yě bù zhī
道。
dào.

语法 Grammar 어법

一、量词／Measure words／양사

汉语中的很多名词都有固定的量词。

In Chinese, many nouns need fixed measure words.

중국어의 많은 명사는 저마다 고유한 저만의 <양사>가 있다.

例：一双鞋子　两块钱　一本书　三个学生　三顶帽子

二、“几”和“多少”／How many; how much／섯 와 多少

“几”和“多少”都可以用来询问数量，“几”一般用来询问十以下的数量，十以上的数量常用“多少”来询问。

“几” and **“多少”** are both used to inquire numbers or quantity. **“几”** is used to ask about the amount less than ten, **“多少”** is always to ask the quantity greater than ten.

几 와 多少는 둘다 수량을 묻는데 쓰이지만, 几 는 일반적으로 10 이하의 수량을 묻는데 사용하고, 多少는 보통10 이상의 수량을 묻는데 사용한다.

例：1.我要三斤苹果。→你要几斤苹果？

2.他有二十块钱。→他有多少钱？

3.我有三双鞋子。→你有几双鞋子？

三、钱数表示法 / The way to count money / 금전의 액수표시법

人民币的计量单位是元、角、分，但口语中常用“块”、“毛”、“分”。

The measure units for Chinese Yuan / Renminbi(RMB)are Yuan, Jiao, and Fen, while in oral Chinese, people usually say “块 Kuài, 毛 Máo, 分 Fēn”.

인민폐 (중국화폐를 칭하는 단위)의 단위는 元 , 角 , 分 이지만, 구어 (회화) 상에서는 块 , 毛 , 分으로 읽는다.

例：三元　　　　三块

十元五角　　　十块五毛

八角二分　　　八毛二(分)

四、“的”字结构 / “的”structure / “的” 자결구

“名词 / 代词 / 动词 / 形容词 + 的”可以构成“的”字结构。“的”字结构功能相当于一个名词。

“N. / pron. / v. / adj. and 的” form “的” structure. The structure's function is equivalent to a noun.

명사, 대명사, 동사, 형용사 + 的의 형식으로 <的자결구>를 이루는데, 的자결구는 하나의 명사 덩어리로 볼 수 있다.

例：1.这帽子是老师的。

2.这个苹果是我的。

3.这件礼物是她买的。

4.这双鞋子是黑的。

练习 Exercises 연습 문제

一、朗读句子: / Read the sentences aloud: / 아래 문장을 읽으시오:

1.太贵了。便宜一点儿。

2.这是五斤，一共九块钱。

3.这双鞋子怎么样？

4.样子还可以，颜色不太好看。

5.我不喜欢黑的，我喜欢白的。

6.这双白的合适吗？

7.我最喜欢的是棒球帽。

8.李知恩的帽子更多。

二、组词成句：/ Make sentences with the following words：/주어진 낱말로 문장을 완성하시오：

1. 多少钱　苹果　一斤

2. 合适　这　白的　双　吗

3. 不知道　我　他　也　什么　喜欢

三、选词填空：/ Fill in the blanks with the given words：/ 빈 칸에 적당한 낱말을 채워 넣으시오：

样子　双　顶　好看　知道

1.白的大一点儿，_______还可以。

2.这_______帽子怎么样？

3.她的鞋很_______。

4.你_______吗？他的妈妈是中国人。

5.你有几_______鞋？

四、完成句子：/ Complete the sentences：/ 다음 문장을 완성하시오：

1.我有很多朋友，______________________________。（更）

2.苹果太贵了，______________________________。（一点儿）

3.这个30块，______________________________？（多少）

4.那双黑的太大了，______________________________？（合适）

5.一斤苹果两块钱，______________________________。（一共）

6.我有两个哥哥，______________________________。（还有）

五、回答问题：/Answer the questions：/ 물음에 답하시오：

1.你喜欢那双白的吗？（不）

2. 你为什么不喜欢那顶白的？（黑）

3. 你们班有多少学生？（十五）

4. 你有几个弟弟？（两）

5. 你喜欢什么颜色的鞋？（白色）

六、小作文: / Little composition: / 간단한 작문 연습:

在中国买水果。

Dì-shíyī kè Qǐngwèn xuésheng shítáng zài nǎr

第十一课 请问学生食堂在哪儿

Lesson Eleven Excuse me, but where is the students' cafeteria

제 11 과 실례지만, 학생식당이 어디에 있습니까

生词 Vocabulary 새로 나온 단어

1. 食堂	(名)	shítáng	dinning hall; cafeteria	식당. 음식점
2. 操场	(名)	cāochǎng	playground	운동장
3. 南边	(名)	nánbian	south; in the south	남쪽. 남방
4. 怎么	(代)	zěnme	how	어떻게. 어째서
5. 走	(动)	zǒu	to walk; to go	걷다. 걸어가다. 떠나다. 출
				발하다
6. 往	(介)	wǎng	in the direction of; toward; to	가다... 로 향하다
7. 前	(名)	qián	front; forward; former	앞. 전. 이전
8. 再	(副)	zài	again; once more	재차. 다시. 그 위에 더
9. 右	(名)	yòu	right	우측. 오른쪽
10. 拐	(动)	guǎi	to turn	방향을 돌리다
11. 马路	(名)	mǎlù	street	대로. 큰길. 자동차도로
12. 左边	(名)	zuǒbian	left; left side	왼쪽. 좌측
13. 远	(形)	yuǎn	far; far off	시간, 거리상 멀다. 오래
14. 近	(形)	jìn	near; close	다
15. 那儿	(代)	nàr	there; that	가깝다
16. 附近	(名)	fùjìn	neighborhood; nearby	그곳. 그때
17. 银行	(名)	yínháng	bank	부근. 근처
18. 前边	(名)	qiánbian	forward; front	은행
19. 离	(介)	lí	be apart /away from; be at	앞쪽
			a distance from	~로부터~에서
20. 这儿	(代)	zhèr	here; this	
21. 右边	(名)	yòubian	right; right side	여기. 이곳.
22. 谢谢		xièxie	thank you	오른쪽. 우측
				감사합니다
23. 不客气		bú kèqi	You are welcome.	사양하지 마세요. 별말씀
			That's all right.	을요. 천만에요.
24. 学校	(名)	xuéxiào	school	학교
25. 校园	(名)	xiàoyuán	campus; schoolyard	교정
26. 大	(形)	dà	big	큰
27. 漂亮	(形)	piàoliang	beautiful	아름답다
28. 北边	(名)	běibian	north; in the north	북쪽. 북방
29. 宿舍	(名)	sùshè	dorm; dormitory; hostel	기숙사
30. 东边	(名)	dōngbian	east; in the east	동쪽

一　请问学生食堂在哪儿
Yī　Qǐngwèn xuésheng shítáng zài nǎr

Part One　Excuse me, but where is the students' cafeteria
1 실례지만, 학생식당이 어디에 있습니까

（在校园，罗伯特问路）
(Robert asks the way on the campus)
（교정에서 로버트가 길을 묻는 장면）

罗伯特：请问学生食堂在哪儿？
Luóbótè：Qǐngwèn xuésheng shítáng zài nǎr?

一学生：在操场南边。
Yì xuésheng：Zài cāochǎng nánbian.

罗伯特：怎么走？
Luóbótè：Zěnme zǒu?

一学生：往前走，再往右拐，食堂在马路的左边。
Yì xuésheng：Wǎng qián zǒu, zài wǎng yòu guǎi, shítáng zài mǎlù de zuǒbian.

罗伯特：远吗？
Luóbótè：Yuǎn ma?

一学生：很近，你看，就在那儿。
Yì xuésheng：Hěn jìn, nǐ kàn, jiù zài nàr.

二 请问 附近有没有银行
Èr Qǐngwèn fùjìn yǒu méiyǒu yínháng

Part Two Excuse me, but is there a bank nearby
2 실례지만 부근에 은행이 있습니까

(在路上，朴大佑问路)
(Piao Dayou asks the way on the road)
(길에서 박대우가 길을 묻는 장면)

朴大佑：请问 附近有没有银行？
Piáo Dàyòu: Qǐngwèn fùjìn yǒu méiyǒu yínháng?

一学生：有，在前边。
Yì xuésheng: Yǒu，zài qiánbian.

朴大佑：离这儿远不远？
Piáo Dàyòu: Lí zhèr yuǎn bù yuǎn?

一学生：不远，往前走，银行在马路的右边。
Yì xuésheng: Bù yuǎn，wǎng qián zǒu，yínháng zài mǎlù de yòubian.

朴大佑：谢谢。
Piáo Dàyòu: Xièxie.

一学生：不客气。
Yì xuésheng: Bú kèqi.

三　这是我们的学校
Sān　Zhè shì wǒmen de xuéxiào

Part Three This is our school
3 이곳이 우리 학교입니다

这是我们的学校，我们的学校很大，也很漂亮。校园的北边
Zhè shì wǒmen de xuéxiào，wǒmen de xuéxiào hěn dà，yě hěn piàoliang. Xiàoyuán de běibian
是操场，操场的南边是学生食堂。留学生宿舍在校园的东边，
shì cāochǎng，cāochǎng de nánbian shì xuésheng shítáng. Liúxuéshēng sùshè zài xiàoyuán de dōngbian，
留学生教室离留学生宿舍很近。
liúxuéshēng jiàoshì lí liúxuéshēng sùshè hěn jìn.

语法　Grammar　어법

一、方位词 / Noun of locality / 방위사

“旁边”、“左边”、“东边”、“西边”、“南边”等都是方位词，方位词是名词的一种，可以做主语、宾语、定语等句子成分。

Side, left, east, west, and south are all nouns of locality. Noun of locality is one of the forms of noun and can be functioned as subject, object or attribute in a sentence.

옆쪽, 왼쪽, 동쪽, 서쪽, 남쪽 등은 모두 방위사인데, 방위사는 명사의 일종이며, 주어, 빈어, 한정어등의 문장성분이 될 수 있다.

例：1．学校在马路的左边。

2．银行在马路的右边。

3．留学生宿舍在校园的东边。

二、正反疑问句 / Positive and negative interrogative sentences / 정반의문문

正反疑问句的格式是“adj.不adj.”或“v.不v.”，意思相当于“adj.吗”或“v.吗”。

The format of positive and negative interrogative sentence is “adj.不adj.” or “v.不v.”, which means “Is it adj.” or “Is it v.”.

정반의문문의 형식은< 형용사 + 不 +형용사> 나 <동사+不+동사>의 형식이며 이는 <～형용사 吗 ?>나 <～동사 吗 ?>와 같다.

例：1. 附近有没有银行？
2. 银行离这儿远不远？
3. 明天是不是星期六？
4. 你去不去邮局？

有时也可用“v.没 v.”。
Sometimes “v.没 v.” patten is used in these kind of sentences.
이편패는 도한“v.没 v. ”를 사용시오.

练习 Exercises 연습 문제

一、朗读句子:／Read the sentences aloud:／아래 문장을 읽으시오:

1. 请问，学生食堂在哪儿？
2. 在操场南边。
3. 怎么走？
4. 往前走，再往右拐，食堂在马路的左边。
5. 请问，附近有没有银行？
6. 离这儿远不远？
7. 往前走，银行在马路的右边。
8. 我们的学校很大，也很漂亮。

二、组词成句:／Make sentences with the following words:／주어진 낱말로 문장을 완성하시오:

1. 食堂　左边　马路　在　的
2. 没有　银行　有　附近
3. 留学生　近　教室　宿舍　留学生　离　很

三、选词填空:／Fill in the blanks with the given words:／빈 칸에 적당한 낱말을 채워 넣으시오:

附近　拐　前边　走　在

1. 学校________有没有银行？

2.宿舍______是一个商店。

3.你家______哪儿？

4.往右______，就是我家。

5.去你们学校怎么______？

四、完成句子：/ Complete the sentences: / 다음 문장을 완성하시오:

1.食堂在哪儿？ ______________________？（怎么）

2.我家在东边，学校在西边，______________________。（离）

3.______________________，商店在那个银行左边。（往）

4.你看，______________________。（就）

5.往前走，______________________，就是他的宿舍。（再）

五、回答问题：/ Answer the questions: / 물음에 답하시오:

1.你的宿舍在哪儿？（东边）

2.你的宿舍离教室远不远？（不）

3.你家离学校近吗？（很）

4.去食堂怎么走？（往）

5.银行在哪儿？（就）

六、小作文：/ Little composition: / 간단한 작문 연습:

邀请同学到自己家玩儿，介绍一下你的家。

Dì-shí'èr kè Wǒ yào cún qián
第十二课 我 要 存 钱
Lesson Twelve I want to deposit money
제 12 과 저는 저금하려고 합니다

生词 Vocabulary 새로 나온 단어

1.存	（动）	cún	to deposit; to save	저축하다. 맡기다
2.写	（动）	xiě	to write; to compose	글씨를 쓰다. 글을 짓다
3.一下儿		yíxiàr	(*used after a verb as its complement, indicating an act or an attempt*)one time; once	한번. 일회(… 좀 해보다라는 뜻으로 쓰임)
4.护照	（名）	hùzhào	passport	여권
5.号码	（名）	hàomǎ	number	번호. 숫자
6.千	（数）	qiān	thousand	천
7.人民币		rénmínbì	renminbi	인민폐
8.密码	（名）	mìmǎ	password; cipher	비밀번호. 암호
9.请	（动）	qǐng	to invite; please	청하다. 요청하다
10.说	（动）	shuō	to say; to speak; to talk	말하다. 이야기하다
11.遍	（量）	biàn	(*for actions*) once through; one time	번. 회
12.趟	（量）	tàng	*used for a round trip*	차례. 번
13.公司	（名）	gōngsī	company	회사
14.上班		shàng bān	to go to work	출근하다
15.下	（形）	xià	next	아래. 밑;번. 회;눈. 비가 내리다. 수업. 작업이 끝나다.
16.会议	（名）	huìyì	meeting; conference	회의
17.准备	（动）	zhǔnbèi	to prepare; to arrange	준비하다
18.事	（名）	shì	affair; business; matter	일. 직업. 직무
19.孩子	（名）	háizi	child	아이. 아동
20.怎么办		zěnme bàn	how to do	어쩌지. 어떻게 하지
21.奶奶	（名）	nǎinai	grandma	할머니
22.打	（动）	dǎ	to call	전화를 걸다.
23.电话	（名）	diànhuà	telephone	전화
24.问	（动）	wèn	to ask; to inquire	묻다. 질문 하다
25.还	（副）	hái	also; even	아직도. 여전히. 더욱더
26.读	（动）	dú	to read	낭독하다. 읽다. 공부하다. 학교에 다니다
27.课文	（名）	kèwén	text	교과서의 본문

28. 生词 (名) shēngcí vocabulary 새로 나온 단어
29. 机场 (名) jīchǎng airport 공항
30. 送 (动) sòng to send 배달하다

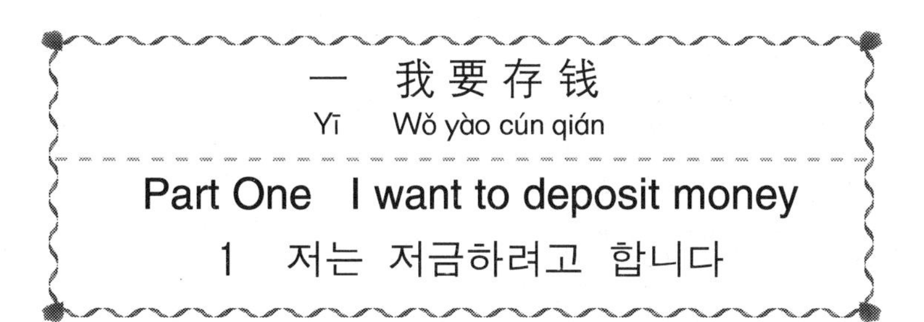

一 我要存钱
Yī Wǒ yào cún qián

Part One I want to deposit money
1 저는 저금하려고 합니다

(李知恩在银行存钱)
(Li Zhi'en deposits money in the bank)
(은행에서 이지은이 저금하는 장면)

李知恩：您好，我要存钱。
Lǐ Zhī'ēn: Nín hǎo, wǒ yào cún qián.

营业员：请写一下儿您的名字和护照号码。您要存多少？
Yíngyèyuán: Qǐng xiě yíxiàr nín de míngzi hé hùzhào hàomǎ. Nín yào cún duōshao?

李知恩：我要存五千块人民币。
Lǐ Zhī'ēn: Wǒ yào cún wǔqiān kuài rénmínbì.

营业员：要密码吗？
Yíngyèyuán: Yào mìmǎ ma?

李知恩：什么？请您再说一遍，好吗？
Lǐ Zhī'ēn: Shénme? Qǐng nín zài shuō yí biàn, hǎo ma?

营业员：您需要不需要密码？
Yíngyèyuán: Nín xūyào bù xūyào mìmǎ?

李知恩：需要。
Lǐ Zhī'ēn: Xūyào.

二 今天我要去一趟 公司
Èr Jīntiān wǒ yào qù yí tàng gōngsī

Part Two I will go to company once today
2 저는 오늘 회사에 가려고 합니다

（星期天早上）
(Sunday morning)
（일요일 아침）

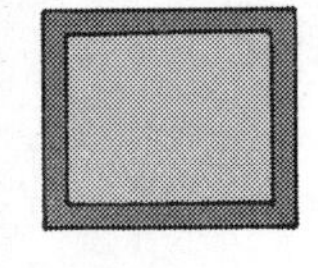

王 玲：今天我要去一 趟 公司。
Wáng Líng: Jīntiān wǒ yào qù yí tàng gōngsī.

丈夫：你周末也要 上 班吗?
Zhàngfu : Nǐ zhōumò yě yào shàngbān ma?

王 玲：下 星期一 我 有 个 会，我 去 准 备 一下儿。
Wáng Líng: Xià xīngqīyī wǒ yǒu ge huì，wǒ qù zhǔnbèi yíxiàr.

丈夫：今天 我 也 有 事，那 孩子 怎么 办?
Zhàngfu : Jīntiān wǒ yě yǒu shì，nà háizi zěnme bàn?

王 玲：孩子 的 奶奶 有 没有空儿？
Wáng Líng: Háizi de nǎinai yǒu méiyǒu kòngr?

丈夫：我 打 电话 问 一下儿 吧。
Zhàngfu : Wǒ dǎ diànhuà wèn yíxiàr ba.

三 海伦今天很 忙
Sān Hǎilún jīntiān hěn máng

Part Three Helen is very busy today
3 헬렌은 오늘 몹시 바쁩니다

海伦今天 很 忙,她 要 去一 趟 图书 馆,还 要 读 三 遍 课文,写 六 遍
Hǎilún jīntiān hěn máng, tā yào qù yí tàng túshūguǎn, hái yào dú sān biàn kèwén, xiě liù biàn
生词。 罗伯特 今天 也 没有 时间, 上 午 他 要 去一 趟 银 行, 下午 还 要
shēngcí. Luóbó tè jīntiān yě méiyǒu shíjiān, shàngwǔ tā yào qù yí tàng yínháng, xiàwǔ hái yào
去 机 场 送 他 的 女 朋友 。
qù jīchǎng sòng tā de nǚ péngyou.

语法 Grammar 어법

一、能愿动词“要” / Want / 능원동사(조동사) 要

能愿动词“要”放在动词的前边，表示意愿。

The word **“要”** in front of verb expresses the subjective will.

능원동사<要>는 동사의 앞에 놓이며, <~하고 싶다. 하려고 한다>는 희망이나 의지를 나타낸다.

例：1．我要存钱。

2．我要去一趟公司。

3．我要买三斤苹果。

“要”的否定式常用“不想”。

The negative form for **“要”** is **“不想”**.

<要> 의 부정형은 보통 <不想>의 형식이다.

例：1．你要买苹果吗？→我不想买苹果。

2．他要去商店吗？→他不想去商店。

二、动量补语 / The action-measure complement / 동량보어

动量词和数词结合，放在动词的后边，说明动作发生的次数，叫动量补语。

The combination of a verb-measure word and numeral, which is put after verbs to indicate the frenquency of actions, is called the action-measure complement.

동량사와 수사가 결합하여 동작이나 행위가 진행된 횟수를 나타내는 보어를 동량보어라고 하는데, 동량보어는 동사의 뒤에 위치한다.

例：1.请写一下儿您的名字和护照号码。

2.我要去一趟公司。

3.这本书我看了三遍。

练习 Exercises 연습 문제

一、朗读句子：/ Read the sentences aloud：/ 아래 문장을 읽으시오：

1.您好，我要存钱。

2.请您再说一遍。

3.您需要不需要密码？

4.今天我要去一趟公司。

5.你周末也要上班吗？

6.下星期一我有个会，我去准备一下儿。

7.那孩子怎么办？

8.孩子的奶奶有没有空儿？

二、组词成句：/ Make sentences with the following words：/ 주어진 낱말로 문장을 완성하시오：

1. 请　一下儿　写　您的名字　护照号码　和

2. 趟　要　他　去　一　银行　上午

3. 打电话　我　一下儿　问　吧

三、选词填空：/ Fill in the blanks with the given words：/ 빈 칸에 적당한 낱말을 채워 넣으시오：

存　准备　送　事　空儿　周末

1.你_____有什么打算？

2.明天有语法课，我要_____一下儿。

3. 明天下午你有______吗？

4. 最近我的______很多，没有时间。

5. 我去银行______钱。

6. 我的朋友星期六回国，我要去______他。

四、完成句子：/ Complete the sentences: / 다음 문장을 완성하시오:

1. 明天上午，________________________________。（要）

2. 今天我有空儿，________________________________。（趟）

3. 这是我的护照，________________________________。（一下儿）

4. 您说什么？________________________________。（遍）

5. 今天我没事，________________________________？（需要）

五、回答问题：/ Answer the questions: / 물음에 답하시오:

1. 你要去他家吗？（不）

2. 你要买什么？（双）

3. 今天的作业是什么？（遍）

4. 你要去哪儿？（趟）

5. 你的护照呢？（一下儿）

六、小作文：/ Little composition: / 간단한 작문 연습:

写一写去银行存钱的过程。

Dì-shí sān kè　Wǒ xǐhuan là yìdiǎnr de cài

第十三课　我 喜欢 辣 一点儿 的 菜

Lesson Thirteen　I like which are a bit hotter dishes

제 13 과　저는 약간 매운 음식을 좋아합니다

生词 Vocabulary 새로 나온 단어

1. 辣	(形)	là	hot; spicy	맵다
2. 菜	(名)	cài	dish; food; vegetable	채소. 반찬
3. 欢迎	(动)	huānyíng	to welcome	환영하다
4. 光临	(动)	guānglín	be present	왕림하다. 왕림
5. 菜单	(名)	càidān	menu	메뉴. 식단
6. 来	(动)	lái	*used as a substitate for a verb so as to avoid repetition*	오다. 하다(대동사로서 구체 동사를 대신함)
7. 碗	(量)	wǎn	bowl	그릇. 공기 등을 세는 양사
8. 米饭	(名)	mǐfàn	rice	쌀밥
9. 喝	(动)	hē	to drink	물. 차. 술 등을 마시다
10. 瓶	(量)	píng	bottle	병
11. 啤酒	(名)	píjiǔ	beer	맥주
12. 散步		sàn bù	to walk; to go for a walk	산보하다
13. 有点儿	(副)	yǒudiǎnr	a little; a bit	조금. 약간
14. 累	(形)	lèi	tired	지치다. 피곤하다
15. 想	(动)	xiǎng	want to	생각하다. 하고 싶다. 하려고 한다
16. 休息	(动)	xiūxi	to rest; to have a break	휴식하다
17. 没意思		méi yìsi	meaningless; listless; boring	재미가 없다. 무의미하다
18. 洗	(动)	xǐ	to wash; to bathe	씻다. 세탁하다
19. 衣服	(名)	yīfu	clothing; wearing	옷. 의복
20. 打扫	(动)	dǎsǎo	to do some cleaning	청소하다
21. 房间	(名)	fángjiān	room	방
22. 起床		qǐ chuáng	to get up	일어나다. 기상하다
23. 晚	(形)	wǎn	late	저녁. 밤. 늦은. 끝나 가는
24. 以后	(名)	yǐhòu	after; later; since	이후. 이 다음
25. 运动	(名)	yùndòng	sports; athletic sports	운동. 스포츠
26. 跑	(动)	pǎo	to run	달리다
27. 步	(名)	bù	step; pace	걸음
28. 听	(动)	tīng	to listen to; to hear	듣다
29. 音乐	(名)	yīnyuè	music	음악
30. 电视	(名)	diànshì	television	텔레비전

专名 Proper Noun 고유명사

1.麻婆豆腐	Má Pó Dòufu	Ma Po Tofu with Minced Pork	마파두부(중국요리의 일종)
2.西红柿鸡蛋汤	Xīhóngshì Jīdàn Tāng	Tomato & Egg Soup	토마토계란탕 (중국요리의 일종)

一 我 喜欢 辣 一点儿 的 菜
Yī Wǒ xǐhuan là yìdiǎnr de cài

Part One I like which are a bit hotter dishes
1 저는 약간 매운 음식을 좋아합니다

（朴大佑在饭店）
(Piao Dayou is in a restaurant)
（박대우가 식당에서~）

服务员：欢 迎 光 临。这 是 菜单，请 问，您 想 吃 点儿 什 么？
Fúwùyuán: Huānyíng guānglín. Zhè shì càidān, qǐngwèn, nín xiǎng chī diǎnr shénme?

朴大佑：我 看看，我 喜欢 辣 一 点 儿 的 菜。
Piáo Dàyòu: Wǒ kànkan, wǒ xǐhuan là yì diǎnr de cài.

服务员：麻婆豆腐 可以 吗？
Fúwùyuán: Má Pó Dòufǔ kě yǐ ma?

朴大佑：那 就 要 个 麻 婆 豆 腐，一 个 西红柿 鸡蛋 汤，再 来 一 碗 米 饭。
Piáo Dàyòu: Nà jiù yào ge Má Pó Dòufu, yí ge Xīhóngshì Jīdàn Tāng, zài lái yì wǎn mǐ fàn.

服务员：好的。您 喝 点儿 什 么？
Fúwùyuán: Hǎode. Nín hē diǎnr shénme?

朴大佑：来 一 瓶 啤酒 吧。
Piáo Dàyòu: Lái yì píng píjiǔ ba.

二 我们 去 散散步 吧
Èr Wǒmen qù sànsànbù ba

Part Two Let's go out for a walk
2 우리 산보 갑시다

(在王玲家里)
(at Wang Ling's Home)
(왕령의 집에서)

丈 夫: 我们 去 散散 步 吧。
Zhàngfu : Wǒmen qù sànsàn bù ba.
王 玲: 今天 我 有点儿累, 想 在家休息 休息, 你一个 人去吧。
Wáng Líng: Jīntiān wǒ yǒudiǎnr lèi , xiǎng zài jiā xiūxi xiūxi , nǐ yí ge rén qù ba .
丈 夫: 一个人去没意思, 我也不 想 去了。
Zhàngfu : Yí ge rén qù méi yìsi , wǒ yě bù xiǎng qù le .
王 玲: 那 我 洗洗 衣服, 你打扫 打扫 房间 吧。
Wáng Líng: Nà wo xǐxi yīfu , nǐ dǎsǎo dǎsǎo fángjiān ba .
丈 夫: 好吧。
Zhàngfu : Hǎoba .

三 我的周末
Sān Wǒ de zhōumò

Part Three My weekend

3 나의 주말생활

我 周末 上午起 床 很 晚，起 床 以后 洗洗 衣服、打扫 打扫 房间。
Wǒ zhōumò shàngwǔ qǐ chuáng hěn wǎn，qǐ chuáng yǐ hòu xǐ xǐ yī fu、dǎsǎo dǎsǎo fángjiān．
我 喜欢 运 动，下午 有 时候 踢踢 足球，有 时候 跑跑步。晚 上 听听 音
Wǒ xǐ huan yùndòng，xiàwǔ yǒu shíhou tī ti zú qiú，yǒu shíhou pǎopao bù．Wǎnshang tīngting yīn
乐，看看 电视。我 很 喜欢 周末。
yuè，kànkan diànshì．Wǒ hěn xǐ huan zhōumò．

语法 Grammar 어법

一、动词重叠 / The verb reduplication / 동사의 중첩

有些动词可以重叠，表示短暂、轻松或随便。形式：A－AA ，AB－ABAB。

Some verbs may overlap themselves to express the meaning of brevity, easy or voluntariness. The forms are: A－AA，AB－ABAB.

어떤 동사는 중첩할 수 있는데, 짧은 시간 동안 가볍게 한 번 해본다는 것을 나타낸다. 그 형식으로는 A—AA 나 ，ABAB 의 형식이 있다.

例：1.我看看菜单。

2.我想尝尝青岛啤酒。

3.你尝尝这个汤怎么样？

4.我学习学习汉语。

二、“一点儿”和“有一点儿” / A little, a few / 一点儿 과 有一点儿

“一点儿”是数量词，表示量少，常常放在名词的前边做定语。

“有一点儿”是副词，表示不多、稍微，多用于不如意的事。放在动词或形容词前边做状语。有时也说“有点儿”。

"一点儿" is a quantifier, often put in front of the noun as attribute, expressing little amount.

"有一点儿" is an adverbial, means a little(few).It often used in things not as good as one expects.It functions as the adverbial modifier in front of the verb or adjective.Sometimes we say **"有点儿"**.

一点儿 은 수량사로서, 그 수량이 적음을 나타내며, 보통 명사 앞에 놓여서한정어가 된다.

有一点儿 은 부사로서, 그 수량이 많지 않음을 나타내며, 상황이 여의치 않거나 원치 않는 상황을 말할 때 많이 사용한다. 또한 동사나 형용사 앞에 놓여서 상어(술어를 수식제한하는 낱말이나 사조)가 된다. 어떤 때는 "有点儿"이라고도 한다.

例：1.我喜欢辣一点儿的菜。

2.你喝一点啤酒吧。

3.这个菜有一点儿贵。

4.我今天有点儿不舒服。

三、"想" / To wish, to want to / 능원동사想

"想"有时表示主观意愿，常常表示停留于心里，不一定付诸行动。

The word **"想"** expresses the subjective will, indicates the wishing in the mind but might not be put into practice.

능원동사 想 은 주관적 바램을 나타내며, <～할 생각이다> 라는 마음먹은 바를 나타낸다. 그렇지만 전부 행동으로 옮긴다는 것은 아니다.

例：1.他想去北京。

2.我还想看中国电影。

3.我想去商店买帽子。

练习 Exercises 연습 문제

一、朗读句子：/ Read the sentences aloud：/ 아래 문장을 읽으시오：

1.请问，您想吃点儿什么？

2.我喜欢辣一点儿的菜。

3.来一瓶啤酒吧。

4.我们去散散步吧。

5.今天我有点儿累，想在家休息休息，你一个人去吧。

6.一个人去没意思，我也不想去。

7.你打扫打扫房间吧。

二、组词成句：/ Make sentences with the following words：/주어진 낱말로 문장을 완성하시오：

1.喜欢　我　一点儿　辣　的　菜

2.我　起床　上午　星期六　很　晚

3.您　什么　吃　点儿　想

三、选词填空：/ Fill in the blanks with the given words：/ 빈 칸에 적당한 낱말을 채워 넣으시오：

来　打扫　晚　没意思　散步

1.请给我________一碗米饭。

2.我每天都________房间。

3.他很忙，每天睡觉都很________。

4.一个人踢球很________。

5.我常常去________。

四、完成句子：/ Complete the sentences：/ 다음 문장을 완성하시오：

1.这苹果太贵了，________________________。（一点儿）

2.今天你一个人去散步吧，________________________。（有点儿）

3.________________________，给我打个电话。（以后）

4.我周末常常去运动，________________________。（有时候）

5.今天我很累，________________________。（想）

五、回答问题：/ Answer the questions：/ 물음에 답하시오：

1.你想去哪儿？（散散步）

2.晚饭以后你去哪儿？（写写作业）

3. 今天下午你去哪儿？（休息休息）

4. 明天早上你做(zuò)什么？（跑跑步）

5. 你周末常常做什么？（打打球，上上网…）

六、小作文: / Little composition: / 간단한 작문 연습:

我的周末生活。

Dì-shísì kè Nǐ zài zuò shénme ne

第十四课 你在做什么呢

Lesson Fourteen What are you doing now

제 14 과 당신은 무엇을 하고 있습니까

生词 Vocabulary 새로 나온 단어

1.在	（副）	zài	*used to indicate an action in progress*	지금… 하고 있다 <개>… 에… 에 있어서
2.做	（动）	zuò	to do; to make out	만들다. 짓다. 하다. 종사하다
3.喂	（叹）	wèi	hello; hi	여보세요(부르는 소리)
4.位	（量）	wèi	*measure word for person*	분 . 명
5.比较	（副）	bǐjiào	comparetively; fairly	비교적
6.换	（动）	huàn	to exchange; to barter	바꾸다
7.空儿	（名）	kòngr	free time; empty	틈. 짬. 겨를
8.没关系		méi guānxi	It doesn't matter; That's all right; Not at all	관계가 없다. 괜찮다
9.自己	（代）	zìjǐ	oneself	자기. 자신 <부> 스스로
10.刚才	（名）	gāngcái	just now	방금. 이제.
11.正在	（副）	zhèngzài	in the process of	마침… 하고 있는 중이다
12.接	（动）	jiē	to receive	전화를 받다. 영접하다
13.为什么		wèi shénme	why	무엇 때문에
14.等	（动）	děng	to wait	기다리다
15.马上	（副）	mǎshàng	at once; immediately	곧바로
16.一楼		yī lóu	first floor	일층
17.大厅	（名）	dàtīng	lobby; hall	대청. 홀
18.快	（副）	kuài	hurry up; make haste	빨리. 어서
19.早晨	（名）	zǎochen	morning	이른 아침. 새벽
20.公园	（名）	gōngyuán	park	공원
21.里	（名）	lǐ	inner; inside	～의 속. 안쪽
22.唱		chàng	to sing	노래 부르다. 크게 외치다

专名 Proper Noun 고유명사

1.太极拳	Tàijíquán	Taiji; shadowboxing	태극권
2.京剧	Jīngjù	Peking Opera	경극

一 你在做什么呢
Yī Nǐ zài zuò shénme ne

Part One What are you doing now
1 당신은 무엇을 하고 계십니까

（李知恩给朴大佑打电话）
(Li Zhi'en is making a phone call to Piao Dayou)
(이지은이 박대우에게 전화를 걸다)

朴大佑：喂，你好！是哪位？
PiáoDàyòu: Wèi，nǐ hǎo! Shì nǎ wèi?

李知恩：大佑，是我，李知恩，你在做什么呢？
Lǐ Zhī'ēn: Dàyòu，shì wǒ，Lǐ Zhī'ēn，nǐ zài zuò shénme ne?

朴大佑：我在做作业呢。
PiáoDàyòu: Wǒ zài zuò zuòyè ne.

李知恩：你们今天的作业多吗？
Lǐ Zhī'ēn: Nǐmen jīntiān de zuòyè duō ma?

朴大佑：比较多，你有什么事吗？
PiáoDàyòu: Bǐjiào duō，nǐ yǒu shénme shì ma?

李知恩：我打算去银行换钱，你去不去？
Lǐ Zhī'ēn: Wǒ dǎsuàn qù yínháng huàn qián，nǐ qù bú qù?

朴大佑：对不起，知恩，今天我没有空儿。
PiáoDàyòu: Duìbuqǐ，Zhī'ēn，jīntiān wǒ méiyǒu kòngr.

李知恩：没关系，我自己去吧。
Lǐ Zhī'ēn: Méi guānxi，wǒ zìjǐ qù ba.

二　刚才我　正在接电话呢

Èr　Gāngcái wǒ zhèngzài jiē diànhuà ne

Part Two　I was on a phone just now

2 방금 전 저는 전화를 받고 있었어요

(海伦叫罗伯特)

(Helen calls Robert)

(헬렌이 로버트를 부르다)

海伦：　罗伯特，你 为 什么 还不 走？

Hǎilún：　Luóbó tè， nǐ wèi shénme hái bù zǒu？

罗伯特：　请 等 一下儿，我 马上 来。

Luóbó tè：　Qǐng děng yíxiàr， wǒ mǎshàng lái.

海伦：　你 忙 什么 呢？

Hǎilún：　Nǐ máng shénme ne？

罗伯特：　我 刚才 正在 接 电话 呢。

Luóbó tè：　Wǒ gāngcái zhèngzài jiē diànhuà ne.

海伦：　他们 都 在 一楼 大厅 等 我们 呢，我们 快 走 吧。

Hǎilún：　Tāmen dōu zài yī lóu dàtīng děng wǒmen ne，wǒmen kuài zǒu ba.

三 早晨的公园
Sān Zǎochen de gōngyuán

Part Three A park in the morning
3 새벽의 공원

现在 是 早晨 五 点，公园 里 的 人 很 多，有的 在 打 太极拳，有的
Xiànzài shì zǎochen wǔ diǎn，gōngyuán li de rén hěn duō，yǒude zài dǎ Tàijíquán，yǒude
在 散步,还 有的 在 唱 京剧。
zài sànbù，hái yǒude zài chàng Jīngjù.

语法 Grammar 어법

一、"正在／在……呢"／Be doing… ／부사正在／在……呢

"正在……呢"、"在……呢"表示正在进行的动作。

"正在……呢"、"在……呢" indicates the action in process.

진행태 正在……呢 / 在...呢 는 <..가..하고 있는 중이다 >의 형식으로 동작이 진행과정에 있음을 표시한다.

例：1.我在做作业呢。

2.我们正在上课呢。

3.他在打扫房间呢。

二、"有的……，有的……，还有的……"／Some... some... and others / " 어떤 이... 어떤 이..., 또 다른어떤 이... "

"有的……，有的……，还有的……"表示列举。

"有的……，有的……，还有的……" means enumeration.

有的……，有的……，还有的 는 열거를 나타낸다. 즉 A 는 ～하고, B 는～하고, C 는 ～한다.

例：1.今天是星期六，学生们有的做作业，有的休息。

2.留学生有的喜欢吃中国菜，有的不喜欢吃中国菜。

3.我们班的学生有的第一次来中国，有的第二次来中国，还有的第三次来中国。

练习 Exercises 연습 문제

一、朗读句子: / Read the sentences aloud: /아래 문장을 읽으시오:

1. 喂，你好！是哪位？
2. 你在做什么呢？
3. 我在做作业呢。
4. 你有什么事吗？
5. 我打算去银行换钱。
6. 对不起，今天我没有空儿。
7. 请等一下儿，我马上来。
8. 你忙什么呢？
9. 我刚才正在接电话呢。

二、组词成句: / Make sentences with the following words: /주어진 낱말로 문장을 완성하시오:

1. 你们　吗　今天　作业　的　多
2. 他们　在　呢　都　我们　等
3. 为什么　不　还　来　你

三、选词填空: / Fill in the blanks with the given words: / 빈 칸에 적당한 낱말을 채워 넣으시오:

换　接　做　自己　等　为什么

1. 你不要______我了，你______去吧。
2. 我妈妈在________电话。
3. 今天我要________作业，没有时间。
4. 我今天要去银行________钱。
5. 今天你有课，________？

四、完成句子: / Complete the sentences: / 다음 문장을 완성하시오:

1. 他喜欢白色，________________________________。(比较)

2.请你等一等，________________。（马上）

3.________________________，你不在。（刚才）

4.________________________，他妈妈在洗衣服。（……的时候）

5.我现在没有时间，______________________________。（正在）

6.教室里有很多人，____________，____________，____________。（有的……，有的……，还有的……）

五、回答问题：/ Answer the questions: / 물음에 답하시오:

1.你在干什么呢？

2.昨天我去你家的时候，你在干什么？

3.教室里的人正在干什么？

4.妈妈在干什么？

5.我给你打电话的时候，你正在干什么呢？

六、小作文：/ Little composition: / 간단한 작문 연습:

他们在干什么呢？

打电话　洗衣服　上课　听音乐　做作业

Dì-shíwǔ kè Wǒ qù Shànghǎi lǚyóu le

第十五课 我去 上海 旅游 了

Lesson Fifteen I went to travel in Shanghai

제 15 과 저는 상해로 여행을 갔습니다

生词 Vocabulary 새로 나온 단어

1.旅游	（动）	lǚyóu	to travel	여행을 가다
2.了	（助）	le	*modal paritcle*	어기조사
3.又…又…	（连）	yòu… yòu…	as well as	～하고～또～하다
4.干净	（形）	gānjìng	neat and tidy	깔끔하다. 깨끗하다
5.特别	（副）	tèbié	especially	특별하다. 특별히. 일부러
6.美	（形）	měi	beautiful	아름답다. 좋다. 훌륭하다
7.极		jí	extremely; in the extreme	극히. 아주. 대단히
8.玩儿	（动）	wánr	to have fun; to play	놀다. 여가를 즐기다. 장난. 농담
9.游戏	（名）	yóuxì	game	유희. 레크레이션
10.聊天儿		liáo tiānr	to chat	한담하다. 잡담하다
11.听说	（动）	tīngshuō	to hear; hear about	듣자 하니…라 한다
12.昨天	（名）	zuótiān	yesterday	어제
13.啊	（叹）	a	*interjection*	감탄을 나타냄
14.演出	（名）	yǎnchū	performance	연출하다
15.精彩	（形）	jīngcǎi	brilliant; splendid	뛰어나다. 훌륭하다
16.感	（动）	gǎn	to feel	느끼다. 느낌
17.兴趣	（名）	xìngqù	interest	흥취. 흥미. 취미
18.真	（副）	zhēn	indeed; really	진실하다. 참되다
19.遗憾	（动）	yíhàn	to regret	유감스럽다
20.机会	（名）	jīhuì	chance; opportunity	기회
21.电影	（名）	diànyǐng	movie; film	영화
22.所以	（连）	suǒyǐ	so; so that; therefore	그러므로. 그래서. 그런 까닭으로

专名 Proper Noun 고유명사

1.上海	Shànghǎi	Shanghai	상해
2.外滩	Wàitān	the Bund	외탄

一 我去 上海 旅游 了
Yī Wǒ qù Shànghǎi lǚyóu le

Part One I went to travel in Shanghai

1 나는 상해른 여행을 갔습니다

（朴大佑遇见海伦）
(Piao Dayou meets Helen)
（박대우와 헬렌, 의 만남）

朴大佑：上 个 周末 你 去 哪儿 了？
Piáo Dàyòu: Shàng ge zhōumò nǐ qù nǎr le?

李知恩：我 去 上海 旅游 了。
Lǐ Zhī'ēn: Wǒ qù Shànghǎi lǚyóu le.

朴大佑：上海 怎么样？
Piáo Dàyòu: Shànghǎi zěnmeyàng?

李知恩：又 干净 又 漂亮，特别 是 外滩，美 极 了，上 周末 你 做 什么 了？
Lǐ Zhī'ēn: Yòu gānjìng yòu piàoliang, tè bié shì Wàitān, měi jí le, shàng zhōumò nǐ zuò shénme le?

朴大佑：我 去 上 网 了。
Piáo Dàyòu: Wǒ qù shàng wǎng le.

李知恩：你 去 玩儿 游戏 了 吧？
Lǐ Zhī'ēn: Nǐ qù wánr yóuxì le ba?

朴大佑：没有，和 韩国 朋友 聊 天儿 了。
Piáo Dàyòu: Méiyǒu, hé Hánguó péngyou liáo tiānr le.

二 听说 你 昨天 下午 去 看 京剧 了
Èr Tīngshuō nǐ zuótiān xiàwǔ qù kàn Jīngjù le

Part Two It is said that you went to watch Peking Opera show yesterday afternoon

2 듣자하니 당신 어제 오후에 경극관람 하러 갔다면서요

（罗伯特和海伦谈看京剧的情况）
(Robert and Helen talk about the Peking Opera)
(로버트와 헬렌이 경극관람에 대해 얘기하는 장면)

海伦： 听说 你 昨天 下午 去 看 京剧 了。
Hǎilún： Tīngshuō nǐ zuótiān xiàwǔ qù kàn Jīng jù le.

罗伯特： 是 啊，你 怎么 没 去？
Luó bó tè： Shì a，nǐ zěnme méi qù?

海伦： 昨天 下午 我 有课。演出 怎么样？
Hǎilún： Zuóutiān xiàwǔ wǒ yǒu kè. Yǎnchū zěnmeyàng?

罗伯特： 非 常 精彩，我 很 喜欢。
Luó bó tè： Fēicháng jīngcǎi，wǒ hěn xǐhuan.

海伦： 我 对 京剧 也 很 感 兴趣。昨天 没 去，真 是 太 遗憾 了。
Hǎilún： Wǒ duì Jīngjù yě hěn gǎn xìngqù. Zuótiān méi qù，zhēn shì tài yíhàn le.

罗伯特： 别 遗憾，以后 还 有 机会。
Luó bó tè： Bié yíhàn，yǐhòu hái yǒu jīhuì.

三 这个周末 我看 中国 电影 了
Sān Zhè ge zhōumò wǒ kàn Zhòngguó diànyǐng le

Part Three I went to watch Chinese movie this weekend
3 이 번 주말에 저는 중국영화를 보았습니다

我对 中国 电影 很 感兴趣，所以这个周末 我看 中国 电影 了。
Wǒ duì Zhōngguó diànyǐng hěn gǎn xìngqù suǒyǐ zhè ge zhōumò wǒ kàn Zhōngguó diànyǐng le.
我觉得 中国 电影 很 有意思，以后 我 还 想 看。
Wǒ juéde Zhōngguó diànyǐng hěn yǒu yìsi, yǐhòu wǒ hái xiǎng kàn.

语法 Grammar 어법

一、语气助词“了”（1）／Auxiliary word of mood“了”／어기조사了

用语气助词“了”表示过去某一件事已经实现或完成，句中常有表示过去的时间状语。

Auxiliary word of mood **“了”** indicates the things had accomplished or finished. There are often adverbial modifiers showing time in the past.

어기조사 “了” 는 과거에 어떤 일이 이미 실현 또는 완성되었음을 나타내며, 종종문장 중에 과거를 나타내는 시간상어가 등장한다.

例：1.你上个周末去哪儿了？
2.你去看演出了吗?
3.我去体育馆踢球了。

否定式：没／没有＋verb，不再用“了”。
Negative pattern: 没／没有 +verb, **“了”** is not needed.
부정형식은< 没 / 没有+동사 >의 형식인데, 주의할 것은 부정문에서는 了를 붙이지 않는다는 점이다.

例：1.昨天下午我没去看京剧。
2.今天早上我没吃饭。

正反疑问式：“动＋宾＋了＋没有”或“动＋没＋动＋宾”。
Positive and negative interrogative pattern: **“verb+object+ 了＋没有”**, or **“verb+ 没**

+verb+object”.

반정의문문에 있어서는<동사+목적어+了+没有>나 혹은<동사 + 没 + 동사 + 목적어>의 형식을 취한다.

例：1.你吃饭了没有？

2.你去没去商店？

二、“又……又……” / As well as; ...and... /. . . 하기도 하고... 하기도하다

连接形容词或动词，表示两种性质状态或动作行为同时存在。

To connect adjectives or verbs, indicates the two states or actions exist or happen at the same time.

又... 又 는 <... 하기도 하고... 하기도 하다>는 뜻을 나타내며, 형용사나 동사를 연결시켜 서로 상반되거나 유사한 두 가지 이상의 동작이나 상황. 성질. 상태가 동시에 행된다거나 존재함을 나타낸다.

例：1.上海又干净又漂亮。

2.中国菜又好吃又便宜。

3.她又聪明又漂亮。

练习 Exercises 연습 문제

一、朗读句子：/ Read the sentences aloud：/아래 문장을 읽으시오：

1.上个周末你去哪儿了？

2.我去上海旅游了。

3.上海又干净又漂亮，特别是外滩，美极了。

4.我去上网了。

5.我和韩国朋友聊天儿了。

6.听说你昨天下午去看京剧了。

7.你怎么没去？

8.我对京剧也很感兴趣。

二、组词成句：/ Make sentences with the following words：/주어진 낱말로 문장을 완성하시오：

1.去　你　玩儿　了　游戏　吧

2.昨天　你　去　京剧　看　了　听说　下午

3.中国　电影　我　有意思　觉得　很

三、选词填空:／Fill in the blanks with the given words:／빈 칸에 적당한 낱말을 채워 넣으시오:

精彩　遗憾　旅游　机会　觉得

1.他没来上课，他去上海______了。
2.昨天的足球比赛非常______。
3.他不能来参加晚会，太______了。
4.能来中国学习汉语真的是个好______。
5.我______汉语挺有意思的。

四、完成句子:／Complete the sentences:／다음 문장을 완성하시오:

1.这本书______________________________。(又……又……)
2.明天没有课，______________________________。(想)
3.这个学校很漂亮，______________________________。(特别)
4.他______________________________,所以他打算去历史系学习。(对……感兴趣)

五、回答问题:／Answer the questions:／물음에 답하시오:

1.你看书了吗？→你看书了没有？→我没有看书。

2.你昨天考试了吗?

3.你昨天看见老师了吗?

4.你今天吃早饭了吗?

5.你买汉语词典了吗?

六、小作文:／Little composition:／간단한 작문 연습:

谈一场电影或演出。

Dì-shíliù kè　Wǒ tóu téng、ké sou

第十六课　我头疼、咳嗽

Lesson Sixteen　I get a headache and a cough

제 16 과　저는 머리가 아프고 기침을 합니다

生词 Vocabulary 새로 나온 단어

1. 头疼	（动）	tóuténg	to have a headache	두통. 머리가 아프다
2. 咳嗽	（动）	késou	to cough	기침 ; 기침하다
3. 嗓子	（名）	sǎngzi	throat	목. 목소리. 목청
4. 舒服	（形）	shūfu	to be well	편안하다. 상쾌하다
5. 发烧		fā shāo	to have a fever	열이 나다
6. 红	（形）	hóng	red	붉다. 빨갛다
7. 感冒	（动）	gǎnmào	to catch a cold	감기 ; 감기에 걸리다
8. 打针		dǎ zhēn	to inject	주사를 맞다
9. 先	（副）	xiān	temporarily; for the time being	우선 . 먼저
10. 药	（名）	yào	drug; medicine	약.
11. 如果	（连）	rúguǒ	if; in case	만약에. 만일에
12. 早上	（名）	zǎoshang	morning	아침
13. 肚子	（名）	dùzi	belly	위. 배
14. 疼	（形）	téng	pain; ache	아프다
15. 拉肚子		lā dùzi	suffer from diarrhoea	설사하다
16. 带	（动）	dài	to take	지니다. 휴대하다. 데리고 가다
17. 医院	（名）	yīyuàn	hospital	의원. 병원
18. 问题	（名）	wèntí	problem; matter	문제. 중요한 일. 사건.
19. 可能	（动）	kěnéng	to be likely to; maybe	고장
20. 清楚	（形）	qīngchu	clear; distinct	가능하다 ; 아마도
21. 担心		dān xīn	to worry about	분명하다. 뚜렷하다
22. 个子	（名）	gèzi	height	염려하다
23. 高	（形）	gāo	tall ; high	사람의 키.
24. 记者	（名）	jìzhě	reporter	높다. 키나 체격이 크다
25. 应该	（助动）	yīnggāi	should; ought to	기자
26. 注意	（动）	zhùyì	to care; to pay attention to	당연히... 해야 한다
				주의하다

一 我头疼、咳嗽
Yī Wǒ tóu téng、 késou

Part One I get headache and cough
1 저는 머리가 아프고 기침을 합니다

（在医院）
(in a hospital)
（병원에서）

大夫：你怎么了？
Dàifu： Nǐ zěnme le？

李林：我头疼、咳嗽，嗓子也有点儿不舒服。
Lǐ Lín： Wǒ tóuténg，késou，sǎngzi yě yǒu diǎnr bù shūfu.

大夫：发烧吗？
Dàifu： Fāshāo ma？

李林：不发烧。
Lǐ Lín： Bù fāshāo.

大夫：我看看你的嗓子，有点儿红，你感冒了。
Dàifu： Wǒ kànkan nǐ de sǎngzi，yǒu diǎnr hóng，nǐ gǎnmào le.

李林：要打针吗？
Lǐ Lín： Yào dǎ zhēn ma？

大夫：先吃点儿药吧，如果还不好，再来打针。
Dàifu： Xiān chī diǎnr yào ba，rúguǒ hái bù hǎo，zài lái dǎ zhēn.

二　现在 孩子 身体 怎么样 了
Èr　Xiànzài háizi shēntǐ zěnmeyàng le
Part Two　How is our child now
2 지금 아이의 몸이 어떻습니까

（王玲给丈夫打电话）
(Wang Ling makes a phone call to her husband)
(왕령이 남편에게 전화를 걸다)

王　玲：今天 早上 孩子 肚子 疼，有 点儿 拉 肚子，我 带 她 去 医院 了。
Wáng Líng：Jīntiān zǎoshang háizi dùzi téng，yǒu diǎnr lā dùzi，wǒ dài tā qù yīyuàn le.

丈夫：怎么 了，没事 吧？
Zhàngfu：Zěnme le，méishì ba？

王　玲：大夫 说 问题 不 大，吃 点儿 药 就 行 了。
Wáng Líng：Dàifu shuō wèntí bú dà，chī diǎnr yào jiù xíng le.

丈夫：是不是 吃 不 干净 的 东西 了？
Zhàngfu：Shì bú shì chī bù gānjìng de dōngxi le？

王　玲：可能 吧，我 也 不 太 清楚。
Wáng Líng：Kěnéng ba，wǒ yě bú tài qīngchu.

丈夫：现在 孩子 身体 怎么样 了？
Zhàngfu：Xiànzài háizi shēntǐ zěnmeyàng le？

王　玲：不用 担心，现在 没 事 了。
Wáng Líng：Búyòng dānxīn，xiànzài méi shì le.

三 王玲的 丈夫
Sān Wánglíng de zhàngfu

Part Three Wang Ling's husband
3 왕령의 남편

王 玲 的 丈夫今年 三十五岁，是个记者，他个子很 高， 工 作
Wáng Líng de zhàngfu jīnnián sānshíwǔ suì ，shì ge jìzhě，tā gèzi hěn gāo，gōngzuò
非常 忙 。他最近 身体不太好， 常常 头疼 ，大夫 说 他 应该注意
fēicháng máng · Tā zuìjìn shēntǐ bú tài hǎo，chángcháng tóuténg，dàifu shuō tā yīnggāi zhùyì
休息。
xiūxi·

语法 Grammar 어법

一、主谓谓语句／Sentence with a subject-predicate construction as its predicate ／주술술어문

由主谓短语做谓语的句子叫主谓谓语句，主谓短语的主语所指的人或事物常跟全句的主语有关。

The sentence with subject-predicate phrase as predicate is called subject-predicate predicate sentence. The subject of subject-predicate phrase is related with the subject of the whole sentence.

주술구가 위어(술어)로 쓰인 문장을 주술술어문이라고 한다. 주술구의 소주어가 가리키는 사람이나 사물은 항상 전체 문장의 대주어와 관계가 있다.

<대주어 + 소주어 + 술어>의 형식을 갖는다.

大 S+ 小 S+P

例：1.我头疼。

2.我肚子疼。

3.我工作很忙。

4.他身体很好。

二、“可能”／May ／가능

表示可能性。

“可能” means possibility.

아마도…하다…할 것이다. 가능성을 나타낸다.

例：1.他可能回国了。

2.孩子可能病了。

练习 Exercises 연습 문제

一、朗读句子：/ Read the sentences aloud：/아래 문장을 읽으시오：

1.你怎么了？
2.我头疼、咳嗽，嗓子也有点儿不舒服。
3.先吃点儿药吧，如果还不好，再来打针。
4.我带她去医院了。
5.大夫说问题不大，吃点儿药就行了。
6.是不是吃不干净的东西了？
7.现在孩子身体怎么样了？
8.不用担心，现在没事了。

二、组词成句：/ Make sentences with the following words：/주어진 낱말로 문장을 완성하시오：

1.你　嗓子　的　红　有点儿

2.孩子　拉肚子　有点儿

3.他　不太好　身体　最近

三、选词填空：/ Fill in the blanks with the given words：/ 빈 칸에 적당한 낱말을 채워 넣으시오：

疼　清楚　担心　个子　带

1.这个问题，我没听______，请您再说一遍。
2.我来中国留学的时候，妈妈很______。
3.我朋友的______很高 。
4.孩子病了，我要______他去医院。
5.我感冒了，头有点儿______。

四、完成句子:／Complete the sentences:／다음 문장을 완성하시오:

1. 你吃点儿药，__________________，再来找我。（如果）
2. 我还没买，______________________________。（先）
3. 妈妈有点儿不舒服，______________________________。（可能）
4. 他病了，______________________________。（应该）
5. 最近天气不好，______________________________。（注意）

五、用主谓谓语句回答问题:／Answer the questions with subject-predicate predicate sentence:／주술술어문의 형식으로 문제 에 답하시오:

1. 你爸爸妈妈身体怎么样？
2. 你怎么了？
3. 他身体怎么样了？
4. 你不舒服吗？

六、小作文:／Little composition:／간단한 작문 연습:

最近你的身体怎么样？写一写你或者你陪朋友看病的经历。

Dì-shíqī kè Yǐqián nǐ lái guo Zhōngguó ma
第十七课 以前 你 来过 中国吗
Lesson Seventeen Have you been to China before
제 17 과 당신은 이전에 중국에 와 본 적이 있습니까

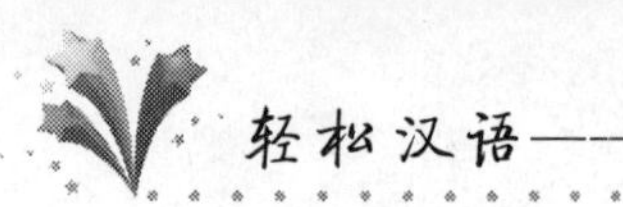

生词 Vocabulary 새로 나온 단어

1.以前	（名）	yǐqián	before	이전. 과거
2.过	（助）	guò	*used after a verb or an adjective to indicate a past action or state*	경험태를 나타내는 조사
3.去年	（名）	qùnián	last year	작년. 지난해
4.专业	（名）	zhuānyè	major	전공학과. 전문업종
5.经济	（名）	jīngjì	economy	경제
6.前年	（名）	qiánnián	the year before last	재작년
7.少	（形）	shǎo	few; little	적다. 부족하다
8.外国	（名）	wàiguó	foreign countries	외국
9.旅行	（动）	lǚxíng	to travel	여행하다
10.种	（量）	zhǒng	kind; class	종. 품종. 부류
11.经历	（名）	jīnglì	experience	겪다. 경험하다
12.爬	（动）	pá	to climb	등산하다. 기어오르다
13.有名	（形）	yǒumíng	famous	유명하다
14.放假		fàng jià	to have a holiday / vacation	휴가로 쉬다. 방학하다
15.最好	（副）	zuìhǎo	had better; may as well	가장 좋다. <부> 가장 바람직하기는
16.别	（副）	bié	had better not	～하지 마라
17.从	（介）	cóng	from	～로부터
18.坐	（动）	zuò	to sit	앉다. 타다
19.车	（名）	chē	vehicle	차
20.只	（副）	zhǐ	only; just	단 하나의. 단독의
21.需要	（动）	xūyào	to need; to require	요구되다. 수요하다
22.小时	（名）	xiǎoshí	hour	시. 시간
23.左右	（名）	zuǒyòu	about; around	가량. 정도. 안팎
24.爱好	（名）	àihào	fondness; hobby	애호
25.其中	（名）	qízhōng	within; among them	그 속. 그 중
26.等	（助）	děng	and so on; etc	등등(열거할 때)
27.一边…一边	（连）	yìbiān…yìbiān	while; as	한편으로… 하면서 한편으로… 하다

专名 Proper Noun 고유명사

1.亚洲	Yàzhōu	Asia	아시아

2. 日本	Rìběn	Japan	일본
3. 泰国	Tàiguó	Thailand	태국
4. 泰山	Tài Shān	Moun Tai	태산
5. 五一	Wǔ Yī	May Day	노동절(5월 1일)
6. 印度	Yìndù	India	인도
7. 云南	Yúnnán	Yunnan	운남
8. 新疆	Xīnjiāng	Xinjiang	신강

一 以前 你来过 中国 吗
Yī Yǐqián nǐ láiguo Zhōngguó ma

Part One Have you been to China before

1 이전에 중국에 와본 적이 있습니까

(罗伯特和李知恩谈旅游经历)
(Robert and Li Zhi'en talk about the experiences travelling in China)
(로버트와 이지은이 여행한 경험담을 주고 받음)

罗伯特: 以前 你来过 中 国 吗?
Luóbó tè: Yǐqián nǐ láiguo Zhōngguó ma?

李知恩: 我 没 来过, 这 是 我 第一次 来 中 国, 你 呢?
Lǐ Zhī'ēn: Wǒ méi láiguo, zhè shì wǒ dì-yī cì lái Zhōngguó, nǐ ne?

罗伯特: 我去年来过 中国, 我的 专 业是 亚洲 经济, 我 去过 亚 洲 的 很 多 国家。
Luóbó tè: Wǒ qùnián láiguo Zhōngguó, wǒ de zhuānyè shì Yàzhōu jīngjì, wǒ qùguo Yàzhōu de hěnduō guójiā.

李知恩: 那 你 去过 韩 国 吗?
Lǐ Zhī'ēn: Nà nǐ qùguo Hánguó ma?

罗伯特: 我 前 年 去过 韩 国、日本 和 泰国。
Luóbó tè: Wǒ qiánnián qùguo Hánguó, Rìběn hé Tàiguó.

李知恩：你去过的国家真不少。
Lǐ Zhī'ēn： Nǐ qùguo de guójiā zhēn bù shǎo.

罗伯特：我觉得去外国旅行是一种很好的经历。
Luóbótè： Wǒ juéde qù wàiguó lǚxíng shì yì zhǒng hěn hǎo de jīnglì.

二 来中国以后你爬过泰山吗
Èr Lái Zhōngguó yǐhòu nǐ páguo Tài Shān ma

Part Two Have you ever climbed Mount. Tai after you get to China
2 중국에 온 이후 당신은 태산에 가봤습니까

(李知恩和张明谈旅游计划)
(Li Zhi'en and Zhang Ming talk about the travel plan)
(이지은과 장명이 여행계획에 대해 얘기를 나눔)

张　明：来中国以后你爬过泰山吗？
Zhāng Míng： Lái Zhōngguó yǐhòu nǐ páguo Tài Shān ma?

李知恩：没爬过。听说泰山很有名，我很想去。
Lǐ Zhī'ēn： Méi páguo. Tīngshuō Tài Shān hěn yǒumíng, wǒ hěn xiǎng qù.

张　明：你打算什么时候去？
Zhāng Míng： Nǐ dǎsuàn shénme shíhou qù?

李知恩：我打算五一放假的时候去。
Lǐ Zhī'ēn： Wǒ dǎsuàn Wǔ Yī fàng jià de shíhou qù.

张　明：五一人太多了，最好别五一去。
Zhāng Míng： Wǔ Yī rén tài duō le, zuìhǎo bié Wǔ Yī qù.

李知恩：那什么时候去比较合适？
Lǐ Zhī'ēn： Nà shénme shíhou qù bǐjiào héshì?

张　明：泰山离这儿很近，从这儿坐车只需要一个小时左右，你可以周末去。
Zhāng Míng： Tài Shān lí zhèr hěn jìn, cóng zhèr zuò chē zhǐ xūyào yí ge xiǎoshí zuǒyòu, nǐ kěyǐ zhōumò qù.

三 我去过很多地方
Sān Wǒ qùguo hěn duō dìfang

Part Three I have been to many places
3 저는 매우 많은 곳을 가봤습니다

我的爱好非常多，上网、听音乐、运动、旅游，其中我最大
Wǒ de àihào fēicháng duō, shàngwǎng、tīng yīnyuè、yùndòng、lǚyóu, qízhōng wǒ zuì dà
的爱好就是旅游。
de àihào jiù shì lǚyóu.

来中国以前我去过很多国家，美国、泰国、印度。来中国以后，
Lái Zhōngguó yǐqián wǒ qùguo hěn duō guójiā, Měiguó, Tàiguó, Yìndù. Lái Zhōngguó yǐhòu,
我去过云南、新疆等很多地方。现在我打算一边学汉语一边去
wǒ qùguo Yúnnán, Xīnjiāng děng hěn duō dìfang. Xiànzài wǒ dǎsuàn yìbiān xué Hànyǔ yìbiān qù
旅游。
lǚyóu.

语法 Grammar 어법

一、动态助词"过" / The dynamic auxiliary "过" / 동태조사 "过"

动态助词"过"在动词后，强调过去的经验或经历。

The dynamic auxiliary **"过"** is used after of verbs, to emphasize the past experiences.

동태조사 过는 동사 뒤에 过를 붙여 과거에 그 경험을 한적이 있음을 나타낸다.

肯定式为：V + 过，后面可以加补语。

Affirmative pattern: Verb + **"过"** + complements.

긍정식은 〈동사 + 过〉로서 뒤에 보어를 둘 수 있다.

例：1. 他去过北京。
　　2. 我吃过北京烤鸭。
　　3. 我学过一年汉语。

否定式为：没 / 没有 + 过。

Negative pattern: **没 / 没有 + 过.**

부정식은 〈没 / 没有 + 过〉의 형식이다.

例：1. 我没看过这本书。
　　2. 我们没去过杭州。
　　3. 他没有见过我。

二、一边……一边……/ At the same time / ~하면서 ~ 한다

表示几种动作或情况同时进行。

Indicate some actions or instances that happen at the same time.

이는 몇 가지의 동작 및 상황이 동시에 존재함을 나타낸다.

<한편으로는... 하면서 한편으로는... 한다> 의 형식이다.

例：1.我一边看电视，一边吃饭。

2.她一边唱歌，一边跳舞。

3.她一边听录音，一边写汉字。

练习 Exercises 연습 문제

一、朗读句子:/ Read the sentences aloud: /아래 문장을 읽으시오:

1.以前你来过中国吗?

2.我没来过，这是我第一次来中国。

3.我去年来过中国，我的专业是亚洲经济，我去过亚洲的很多国家。

4.我觉得去外国旅行是一种很好的经历。

5.那什么时候去比较合适?

6.从这儿坐车只需要一个小时左右。

7.我的爱好非常多。

8.现在我打算一边学汉语一边去旅游。

二、组词成句:/ Make sentences with the following words:/주어진 낱말로 문장을 완성하시오:

1.中国 以后 吗 来 泰山 过 你 爬

2.学 打算 现在 我 汉语 一边 去 旅游 一边

3.来 这 我 第一次 中国 是

三、选词填空:/ Fill in the blanks with the given words: / 빈 칸에 적당한 낱말을 채워 넣으시오:

差不多　专业　左右　从来　爱好

1. 我的______很多,打球、爬山、游泳等。
2. 我______没去过上海。
3. 我的______是经济。
4. 学校附近的饭馆儿我______都去过。
5. 我们的老师三十岁______。

四、完成句子:/ Complete the sentences: / 다음 문장을 완성하시오:

1. 我喜欢________________。(一边……一边……)
2. ________________,我觉得去外国旅游是一种很好的经历。(过)
3. 一个人去旅行不太好,________________。(最好)
4. 我喜欢的运动很多,________________。(其中)
5. 这两件衣服,________________。(比较)

五、改写句子并回答问题:/Rewrite the sentences and answer them:/ 보기 처럼 문장을 바꿔쓰고 답하시오:

你看这个电影吗? →你看过这个电影吗? →我看过这个电影。

1. 你去北京吗? (V+ 过)

2. 他去上海吗? (没 +V+ 过)

3. 你吃这个菜吗? (没有 +V+ 过)

4. 你去泰山吗?

六、小作文:/ Little composition: / 간단한 작문 연습:

介绍一个你去过的地方。

Dì shí bā kè 第十八课 Xiè xie nǐ gàosu wǒ zhè ge hǎo xiāoxi 谢谢你告诉我这个好消息

Lesson Eighteen Thank you for telling me the good news

제 18 과 좋은 소식을 전해 주셔서 감사합니다

生词 Vocabulary 새로 나온 단어

1. 告诉	(动)	gàosu	to tell; to inform	알리다. 말하다
2. 消息	(名)	xiāoxi	information; news	소식. 정보. 뉴스
3. 取	(动)	qǔ	to fetch; to get; to take	가지다. 찾다. 얻다
4. 包裹	(名)	bāoguǒ	parcel; package	소포
5. 让	(动)	ràng	to let	~에게 ~하도록 하다. 시키다
6. 拿	(动)	ná	to take; to bring	손으로 잡다
7. 一定	(副)	yídìng	surely	반드시. 꼭
8. 又	(副)	yòu	again	또. 다시
9. 寄	(动)	jì	to post; to send	우편으로 부치다. 보내다
10. 好吃	(形)	hǎochī	tasty; delicious	맛있다.
11. 门	(量)	mén	*for subjects of study or branches of science*	가지. 과목(학문의 단위를 세는 양사)
12. 能	(动)	néng	can, could	~할 수 있다~할 줄 안다
13. 原因	(名)	yuányīn	reason	원인
14. 进步	(名)	jìnbù	advancement; progress	진보
15. 除了…以外	(连)	chúle... yǐwài	besides; except	~을 제외하고는[~을 제외하고도]
16. 知识	(名)	zhīshi	knowledge	지식
17. 外语	(名)	wàiyǔ	foreign language	외국어
18. 方法	(名)	fāngfǎ	way; method	방법. 수단. 방식
19. 这样	(代)	zhèyàng	thus; in this way	이렇다. 이와 같다. 이렇게 해서.
20. 孤独	(形)	gūdú	lonely	고독하다
21. 可是	(副)	kěshì	however; though	그러나. 그렇지만
22. 安慰	(动)	ānwèi	to comfort; to console	위로하다
23. 陪	(动)	péi	to accompany	모시다. 수행하다. 곁에서 도와주다
24. 帮	(动)	bāng	to help	돕다
25. 做客		zuò kè	to be a guest	손님이 되다. 방문하다
26. 关心	(动)	guānxīn	to care; to be concerned about	관심을 가지다
27. 像	(副)	xiàng	like; such as	마치... 과 같다
28. 一样	(形)	yíyàng	alike; the same	같다. 동일하다

一 谢谢你告诉我这个好消息
Yī Xièxie nǐ gàosu wǒ zhè ge hǎo xiāoxi

Part One Thank you for telling me the good news
1 좋은 소식을 전해 주셔서 감사합니다

（下课后，朴大佑去教室找李知恩）
(Piao Dayou looks for Li Zhi'en in her classroom after class)
(방과후 박대우가 교실로 이지은을 찾아감)

朴大佑：知恩，你怎么还在教室啊，快去取你的包裹吧。
Piáo Dàyòu: Zhī'ēn, nǐ zěnme hái zài jiàoshì a, kuài qù qǔ nǐ de bāoguǒ ba.

李知恩：包裹？取什么包裹？
Lǐ Zhī'ēn: Bāoguǒ? Qǔ shénme bāoguǒ?

朴大佑：你还不知道啊？刚才刘老师打电话让你去拿包裹。
Piáo Dàyòu: Nǐ hái bù zhīdào a? Gāngcái Liú lǎoshī dǎ diànhuà ràng nǐ qù ná bāoguǒ.

李知恩：真的吗？太好了，谢谢你告诉我这个好消息！一定又是我妈妈。
Lǐ Zhī'ēn: Zhēn de ma? Tài hǎo le, xièxie nǐ gàosu wǒ zhège hǎo xiāoxi! Yídìng yòu shì wǒ māma.

朴大佑：别客气，有好吃的要告诉我啊。
Piáo Dàyòu: Bié kè qi, yǒu hàochī de yào gàosu wǒ a.

李知恩：没问题，我也希望妈妈能给我寄好吃的。
Lǐ Zhī'ēn: Méi wèntí, wǒ yě xīwàng māma néng gěi wǒ jì hàochī de.

二 你最喜欢 哪门课
Èr Nǐ zuì xǐhuan nǎ mén kè

Part Two Which course is your favorite
2 당신은 무슨 과목을 가장 좋아하십니까

(张明和海伦谈喜欢的课程)
(Zhang Ming and Helen talk about courses they prefer)
(장명과 헬렌이 좋아하는 과목에 대해 얘기함)

张 明：海伦，你最喜欢 哪 门 课？
Zhāng Míng: Hǎilún， nǐ zuì xǐhuan nǎ mén kè？

海伦：我 最 喜欢 精读 课。
Hǎilún： Wǒ zuì xǐhuan jīngdú kè.

张 明：能 说 说 原因吗？
Zhāng Míng： Néng shuōshuo yuányīn ma？

海伦：精读 课 很 有 意思，我 的 进步 很 快。
Hǎilún： Jīngdú kè hěn yǒu yìsi， wǒ de jìnbù hěn kuài.

张 明：还 有 呢？
Zhāng Míng： Hái yǒu ne？

海伦：精 读 老师 除了 教 我们 语法 知识 以外，还 教 我们 学习 外语 的 方法。
Hǎilún： Jīngdú lǎoshī chúle jiāo wǒmen yǔfǎ zhīshi yǐwài， hái jiāo wǒmen xuéxí wàiyǔ de fāngfǎ.

张 明：是 啊，学生 都 喜欢 这 样 的 老师。
Zhāng Míng： Shì a， xuésheng dōu xǐhuan zhèyàng de lǎoshī.

三　我在中国的生活
Sān　Wǒ zài Zhōngguó de shēnghuó

Part Three　My life in China
3　나의 중국 생활

一个人在中国学习和生活，有时候觉得很孤独，可是我的中国
Yí ge rén zài Zhōngguó xuéxí hé shēnghuó, yǒushíhou juéde hěn gūdú, kěshì wǒ de Zhōngguó
朋友常常安慰我，他们陪我聊天儿，帮我学习汉语，还请我去
péngyou chángcháng ānwèi wǒ, tāmen péi wǒ liáo tiānr, bāng wǒ xuéxí Hànyǔ, hái qǐng wǒ qù
他们家做客。我的中国老师也非常好，他们都很关心我们，让
tāmen jiā zuò kè. Wǒ de Zhōngguó lǎoshī yě fēicháng hǎo, tāmen dōu hěn guānxīn wǒmen, ràng
我觉得像是在家里一样。
wǒ juéde xiàng shì zài jiāli yíyàng.

语法　Grammar　어법

一、兼语句 / The protal sentence / 겸어문

谓语有两个动词短语组成，前一个动词的宾语同时又是后一个动词的主语，这种句子叫兼语句。

The predicate is made up of two verb phrases, the former verb's object is the subject of the latter one. This kind of sentences is called the protal sentence.

술어가 두 개의 동사구로 이루어지고, 앞 동사의 목적어는 동시에 뒷 동사의 주어가 되는 문장을 겸어문이라고 한다.

例：1.刚才刘老师打电话让你去拿包裹。
2.我也希望妈妈能给我寄好吃的。
3.我请他们住在我家。
4.他帮我学习汉语。

二、"能" / Can ,could / 조동사 能

有能力或可能做某事。

Have the ability or possibility in doing something.

조동사 能은 능력이 있거나 혹은 모종의 일을 할 수 있음을 나타낸다.

例： 1.我也希望妈妈能给我寄好吃的。

2.你能说说原因吗？

3.她今天不能来上课了。

三、"除了……以外"／Beside／접속사 除了……以外

（一）"除了……以外，……也／还……，"表示包括。

"除了A以外，……也／还……，" means include A.

1.첨가용법

除了……以外， 也／还……<…이외에 …까지도 또한> 의 형식이다.

例： 1.精读老师除了教我们语法以外，还教我们学习外语的方法。

2.我们除了有精读课以外，也有口语课。

（二）"除了……以外，都……，"表示不包括。

"除了A以外，都……" means not include A.

2.배제용법

除了……以外， 都……<…을 제외하고는 모두…하다> 의 형식이다.

例： 1.除了他以外，我们都去旅游了。

2.除了周末以外，我们都有课。

练习 Exercises 연습 문제

一、朗读句子：／Read the sentences aloud：／아래 문장을 읽으시오：

1.你最喜欢哪门课？

2.能说说原因吗？

3.我的进步很快。

4.精读老师除了教我们语法知识以外，还教我们学习外语的方法。

5.他们还请我去他们家做客。

6.让我觉得像是在家里一样。

7.你怎么还在教室啊，快去取你的包裹吧。

8.谢谢你告诉我这个好消息！

二、组词成句：/ Make sentences with the following words：/ 주어진 낱말로 문장을 완성하시오：

1.拿　刚才　去　让　打电话　你　刘老师　包裹

2.能　妈妈　的　给　我　希望　我　寄　好吃　也

3.你　这个　告诉　消息　谢谢　我　好

三、选词填空：/ Fill in the blanks with the given words：/ 빈 칸에 적당한 낱말을 채워 넣으시오：

原因　告诉　进步　取　安慰

1.老师说我最近______很快。

2.今天下午我要去银行______钱。

3.我明天有事不能去张明家了，请你______他。

4.昨天李知恩哭了，大家都去______她。

5.不知道什么______，老师很不高兴。

四、完成句子：/ Complete the sentences：/ 다음 문장을 완성하시오：

1.____________________，老师还教我们学习方法。（除了……以外）

2.我很想和你去旅行，____________________。（可是）

3.今天是我的生日，____________________。（能）

4.家里没有水果了，____________________。（让）

5.在我家请你不要客气，____________________。（像……一样）

五、改写句子：/ Rewrite the sentences：/ 보기처럼 문장을 바꿔 쓰시오：

他邀请我。我参加晚会。→他邀请我参加晚会。

1.他帮助我。我学习汉语。（兼语句）

2.我请你。你来我家玩。（兼语句）

3.张明打电话。我回宿舍。（兼语句）

4.他帮我。我学习语法。(兼语句)

5.老师告诉我。我应该努力学习。(兼语句)

六、小作文:／Little composition:／ 간단한 작문 연습:

谈一谈你在中国的生活。

Dì-shíjiǔ kè　Nín mǎi de fángzi huā le duōshao qián

第十九课　您买的房子花了多少钱

Lesson Nighteen　How much is the house which you bought

제 19 과　당신이 구입한 집은 돈이 얼마나 들었습니까

生词 Vocabulary 새로 나온 단어

1. 房子	（名）	fángzi	house	집. 건물
2. 花	（动）	huā	to spend	소비하다.
3. 套	（量）	tào	set	벌. 조. 세트(집에 대한 양사)
4. 万	（数）	wàn	ten thousand	일만
5. 越来越		yuè lái yuè	more and more	점점 더. 더욱더
6. 公共汽车	（名）	gōnggòng qìchē	bus	버스
7. 差不多	（副）	chàbuduō	almost; as much as	큰 차이가 없다. 거의 비슷하다
8. 下班		xià bān	to be off duty	퇴근하다
9. 方便	（形）	fāngbiàn	convenient	편리하다
10. 刚	（副）	gāng	just	때마침. 막. 방금
11. 再说	（动）	zàishuō	to put off until some time later	게다가
12. 酒	（名）	jiǔ	wine; alcohol	술
13. 包	（名）	bāo	bag	포대. 꾸러미. 가방
14. 飞机	（名）	fēijī	airplane	비행기
15. 茶	（名）	chá	tea	차나무. 차
16. 主意	（名）	zhǔyi	idea; suggestion	생각. 의견
17. 不错	（形）	búcuò	not bad; good	맞다. 틀림없다
18. 周	（名）	zhōu	week	주. 주일
19. 蛋糕	（名）	dàngāo	cake	케익
20. 然后	（连）	ránhòu	then; afterwards	연후에. 그러한 후에
21. 饭店	（名）	fàndiàn	restauraunt	호텔. 여관
22. 歌厅	（名）	gētīng	singing-hall	노래방
23. 卡拉OK		kǎlā OK	Karaoka	가라오케. 영상노래방
24. 天	（名）	tiān	day	날. 일
25. 可	（副）	kě	*used in a declarative sentence for emphasis*	강조를 표시

一 您买的房子花了多少 钱
Yī Nín mǎi de fángzi huāle duōshao qián

Part One How much is the house which you bought
1 당신은 집을 구입하는데 돈을 얼마나 썼습니까

（在办公室）
(in the office)
(사무실에서)

同事：刘老师，听说 您最近 买了一套新 房子，花了多少 钱？
Tóngshì： Liú lǎoshī，tīngshuō nín zuìjìn mǎi le yí tào xīn fángzi，huā le duōshao qián?

刘老师：40 多万，现在 房子 越来越 贵 了。
Liú lǎoshī： Sìshí duō wàn，xiànzài fángzi yuè lái yuè guì le.

同事：是啊，房子 离 这儿 远 吗？
Tóngshì： Shì a，fángzi lí zhèr yuǎn ma?

刘老师：比较 远，坐 公共 汽车 差不多 要 一 个 小时。
Liú lǎoshī： Bǐjiào yuǎn，zuò gōnggòng qìchē chàbuduō yào yí ge xiǎoshí.

同事：快 买 车 吧，买了 车 上 班、下 班 就 方便 了。
Tóngshì： Kuài mǎi chē ba，mǎi le chē shàng bān，xià bān jiù fāngbiàn le.

刘老师：刚 买了 房子，哪 还 有 钱 买 车？以后 再说 吧。
Liú lǎoshī： Gāng mǎi le fángzi，nǎ hái yǒu qián mǎi chē? Yǐhòu zàishuō ba.

二 我给爸爸买了两瓶酒
Èr Wǒ gěi bàba mǎi le liǎng píng jiǔ

Part Two I bought two bottles of wine for my dad
2 나는 아버지께 드릴 두 병의 술을 샀습니다

(要回国了)
(Preparing to go back to homeland)
(귀국하려고 합니다)

朴大佑：我想给爸爸和妈妈买些礼物，可是不知道买什么好。
Piáo Dàyòu： Wǒ xiǎng gěi bàba hé māma mǎi xiē lǐwù，kěshì bù zhīdào mǎi shénme hǎo.

李知恩：我给我爸爸买了两瓶酒，给妈妈买了一个包。
Lǐ Zhī'ēn： Wǒ gěi wǒ bàba mǎi le liǎng píng jiǔ，gěi māma mǎi le yí ge bāo.

朴大佑：对了，我爸爸也喜欢喝酒，我也买几瓶酒吧。
Piáo Dàyòu： Duì le，wǒ bàba yě xǐhuan hē jiǔ，wǒ yě mǎi jǐ píng jiǔ bā.

李知恩：听说坐飞机只能带两瓶酒，除了买酒以外，你还可以买些中国茶。
Lǐ Zhī'ēn： Tīngshuō zuò fēijī zhǐ néng dài liǎng píng jiǔ，chúle mǎi jiǔ yǐwài，nǐ hái kěyǐ mǎi xiē Zhōngguó chá.

朴大佑：你的主意不错。
Piáo Dàyòu： Nǐ de zhǔyi búcuò.

三 我们吃了很多韩国菜
Sān Wǒmen chī le hěn duō Hánguó cài

Part Three We ate a lot of Korean food
3 우리는 매우 많은 한국요리를 먹었습니다

上周五是李知恩的生日。我们给她买了个生日蛋糕，然后一起去了一个韩国饭店。我们吃了很多韩国菜，还喝了很多啤酒。吃了饭以后，我们又去了歌厅，唱了卡拉OK，那天我们可高兴了。

Shàng zhōuwǔ shì Lǐ Zhī'ēn de shēngri. Wǒmen gěi tā mǎi le ge shēngri dàngāo, ránhòu yìqǐ qù le yí ge Hánguó fàndiàn. Wǒmen chī le hěn duō Hánguó cài, hái hēle hěn duō píjiǔ. Chī le fàn yǐhòu, wǒmen yòu qù le gētīng, chàngle kǎlā OK, nàtiān wǒmen kě gāoxìng le.

语法 Grammar 어법

一、动态助词“了”／The dynamic auxiliary “了”／동태조사 “了”

动态助词“了”用在动词后，表示动作的完成或实现。

The dynamic auxiliary word **“了”** used behind verb indicates that the action has finished or accomplished.

동태조사 了는 동사 뒤에서 그 동작의 완성이나 그 동작이 실현되었음을 나타낸다.

例：1.我买了两双鞋子。

2.他们吃了三个苹果。

3.明天我们下了课就去银行。

二、“越来越”／More and more ／~하면 할수록 더욱~하다

“越来越”+v./adj.，表示事物的程度随着时间的推移而变化。

越来越 +v./adj. indicates that the degree of the things changes with the lapse of time.

越来越 는 시간의 추이에 따라 사물의 정도가 발전,변화한다는 것을 나타낸다.

例：1.房子越来越贵了。

2.我越来越喜欢学习汉语。

3.天气越来越冷了。

三、"什么的" / And so on / 등등(따위)

用在被列举的事物后边，表示没有列举完。

"什么的" is used after things listed, indicating there are still something more.

이미 열거한 사물의 뒤에서 아직 열거하고자 하는 내용이 끝나지 않았음을 나타낸다.

例：1. 朋友们送她很多生日礼物：钱包、化妆品、帽子、香水、光盘什么的。

2. 我买了很多东西：衣服、书、水果什么的。

练习 Exercises 연습 문제

一、朗读句子：/ Read the sentences aloud：/ 아래 문장을 읽으시오:

1. 听说您最近买了一套新房子，花了多少钱?
2. 现在房子越来越贵了。
3. 坐公共汽车差不多要一个小时。
4. 买了车上班、下班就方便了。
5. 我给我爸爸买了两瓶酒，给妈妈买了一个包。
6. 我们给她买了个生日蛋糕，然后一起去了一个韩国饭店。
7. 我们吃了很多韩国菜，还喝了很多啤酒。
8. 吃了饭以后，我们又去了歌厅，唱了卡拉OK。

二、组词成句：/ Make sentences with the following words：/ 주어진 낱말로 문장을 완성하시오 :

1. 您 房子 的 买 花 钱 了 多少

2. 公共汽车 坐 要 小时 差不多 一个

3. 我 爸爸 给 买 了 两瓶 酒 我

三、选词填空：/ Fill in the blanks with the given words：/ 빈 칸에 적당한 낱말을 채워 넣으시오:

花 套 方便 以后 带 主意

1. 我的朋友最近买了一______房子。

2.这真是一个好___。

3.学校门口有一个大超市，我们买东西很_____。

4.来中国的时候，我______的东西很多。

5.开学_____，我们有很多课。

6.这次旅行我______了很多钱。

四、完成句子：/ Complete the sentences: / 다음 문장을 완성하시오：

1.今天我先去买东西，________________________________。(然后)

2.____，汉语还不太好。(刚)

3.你别哭了，哭也没有用，________________________________。(再说)

4.我们周末出去玩儿了，________________________________。(可)

5.明天我去他家，____________________________________？(对了)

6.昨天我去市场，____________________________________。(什么的)

五、回答问题：/ Answer the questions: / 물음에 답하시오：

1.你买了几件衣服？

2.昨天你去市场买了什么？

3.吃了早饭你去哪儿？

4.他去书店买了什么？

5.妈妈让他买了什么？

六、小作文：/ Little composition: / 간단한 작문 연습：

我去商店了。

Dì-èrshí kè　Wǒ jiè gěi nǐ de D V D guāngpán

第二十课　我 借给你的DVD 光盘

nǐ kàn wán le ma

你看完了吗

Lesson Twenty　Have you finished watching the DVDs I lent you

제 20 과　내가 빌려준 DVD 를 다 보았습니까

生词 Vocabulary 새로 나온 단어

1.借	（动）	jiè	to borrow; to lend	빌리다. 차용하다. 빌려주다
2.光盘	（名）	guāngpán	disk	CD
3.完	（动）	wán	come to an end	완결하다. 끝나다. 완성하다
4.不好意思		bù hǎoyìsi	sorry	부끄럽다. 멋적다
5.电脑	（名）	diànnǎo	computer	컴퓨터
6.坏	（形）	huài	broken; bad	고장나다. 망가지다
7.修	（动）	xiū	to repair	수리하다
8.还	（动）	huán	to return	돌려 주다
9.行	（形）	xíng	all right; O.K.	괜찮다. 충분하다
10.一会儿	（数量）	yíhuìr	a while; a moment	잠시 동안. 짧은 시간
11.不用	（副）	búyòng	need not	할 필요가 없다
12.中午	（名）	zhōngwǔ	noon	한낮. 점심
13.讲	（动）	jiǎng	to say; to teach	이야기하다. 설명하다
14.懂	（动）	dǒng	to understand	알다. 이해하다
15.咱们	（代）	zánmen	we	우리들
16.通	（动）	tōng	through; open	전화가 연결되다. 통하다
17.自行车	（名）	zìxíngchē	bicycle; bike	자전거
18.发现	（动）	fāxiàn	to discover; to find	발견하다
19.丢	（动）	diū	to lose; to throw	잃어버리다
20.着急	（形）	zháojí	to be anxious	조급하다. 안달이 나다
21.怕	（动）	pà	to be afraid of; to fear	무서워하다
22.耽误	（动）	dānwu	to delay; to hold up	시간을 지체하다. 일을 그르치다
23.打的		dǎ dī	to take a taxi	택시를 타다
24.教学楼	（名）	jiàoxuélóu	teaching building	강의동. 강의실 건물
26.纸条	（名）	zhǐtiáo	scrip	메모지. 문서
27.捡	（动）	jiǎn	to pick up	줍다
28.到	（动）	dào	*used as a verb compliment to indicate the result of an action*	도착하다. ~에 이르다
29.辆	（量）	liàng	classifier for vehicle	차량. 자전거를 세는 양사

一 我借给你的DVD 光盘 你看完了吗
Yī Wǒ jiè gěi nǐ de D V D guāngpān nǐ kàn wán le ma

Part One Have you finished watching the DVDs I lent you
1 내가 당신에게 빌려준 DVD를 당신은 다 보았습니까

（下课后，李知恩和朴大佑聊天儿）
(Li Zhi'en chats with Piao Dayou after class)
(방과후, 이지은과 박대우가 한담하다)

李知恩：我借给你的 DVD 光盘你看完了吗？
Lǐ Zhī'ēn：Wǒ jiè gěi nǐ de DVD guāngpán nǐ kàn wán le ma?

朴大佑：真不好意思，我的电脑坏了，现在还没修好。
Piáo Dàyòu：Zhēn bù hǎo yìsi, wǒ de diànnǎo huài le, xiànzài hái méi xiū hǎo.

李知恩：那你能不能先还给我，我有一个朋友也想看。
Lǐ Zhī'ēn：Nà nǐ néng bù néng xiān huán gěi wǒ, wǒ yǒu yí ge péngyou yě xiǎng kàn.

朴大佑：行，我一会儿拿给你。
Piáo Dàyòu：Xíng, wǒ yíhuìr ná gěi nǐ.

李知恩：不用了。我中午有事，下午上课的时候你带到教室吧。
Lǐ Zhī'ēn：Bú yòng le. Wǒ zhōngwǔ yǒu shì, xiàwǔ shàng kè de shíhou nǐ dài dào jiàoshì ba.

二 刚才刘老师讲的你都听懂了吗
Èr Gāngcái Liú lǎoshī jiǎng de nǐ dōu tīng dǒng le ma

Part Two Have you understood what Mr. Liu had taught
2 방금 류선생님께서 강의한 내용을 당신은 모두 알아들으셨습니까

（李知恩和朴大佑谈上课的情况）
(Li Zhi'en and Piao Dayou dicuss the situation of classes)
(이지은과 박대우가 수업상황에 대해 얘 기함)

李知恩： 刚才刘老师讲的你都听懂了吗？
Lǐ Zhī'ēn： Gāngcái Liú lǎoshī jiǎng de nǐ dōu tīng dǒng le ma?

朴大佑： 有一些没听懂。
Piáo Dàyòu： Yǒu yìxiē méi tīng dǒng.

李知恩： 咱们再去问问刘老师吧。
Lǐ Zhī'ēn： Zánmen zài qù wènwen Liú lǎoshī ba.

朴大佑： 我刚才给他打电话了，可是没打通。
Piáo Dàyòu： Wǒ gāngcái gěi tā dǎ diànhuà le, kěshì méi dǎ tōng.

李知恩： 那我们等一会儿再打吧。
Lǐ Zhī'ēn： Nà wǒmen děng yíhuìr zài dǎ ba.

朴大佑： 好的。
Piáo Dàyòu： Hǎo de.

三 我的自行车找到了
Sān Wǒ de zìxíngchē zhǎo dào le

Part Three I found my lost bicycle
3 내 자전거를 찾았습니다

昨天我去上课的时候，发现我的自行车丢了，我非常着急，
Zuótiān wǒ qù shàng kè de shíhou，fāxiàn wǒ de zìxíngchē diū le，wǒ fēicháng zháojí，
我怕耽误上课，就打的去了学校。
wǒ pà dānwu shàng kè，jiù dǎ dī qù le xuéxiào.

下课以后，我看到教学楼一楼有一个纸条，说有人捡到一
Xiàkè yǐhòu，wǒ kàn dào jiàoxuélóu yī lóu yǒu yí ge zhǐtiáo，shuō yǒu rén jiǎndào yí
辆黑色的自行车。我想是不是我的自行车？我去看了，真的是
liàng hēisè de zìxíngchē. Wǒ xiǎng shì bú shì wǒ de zìxíngchē? Wǒ qù kàn le，zhēnde shì
我的自行车，我的自行车找到了。
wǒ de zìxíngchē，wǒ de zìxíngchē zhǎo dào le.

语法 Grammar 어법

一、结果补语 / Resultant complement / 결과보어

表示动作的结果的补语叫结果补语，结果补语一般由形容词或动词充任。

Resultant complement indicates the consequence of action, and it is usually acted by adjectives and verbs.

동작의 결과를 나타내는 보어를 결과보어라 하는데, 결과보어는 일반적으로 동사 뒤에 또 다른 동사나 형용사를 붙여서 동작의 결과를 보충설명한다.

例： 1.对不起，我来晚了。

2.你的作业写完了吗？

3.老师的话听懂了。

4.我今天看见他了。

结果补语的否定形式是：没（有）/ 别 / 不 + 动词 + 补语。

Negative pattern of consequent complement: 没（有）/ 别 / 不 +verb+complement.

결과보어의 부정식은…< 没（有）/ 别 / 不 + 동사 + 보어 >의 형식이다.

例：1.我的作业没写完。

2.我今天没看见他。

3.老师的话我没听懂。

二、"咱们"和"我们"／We／咱们과 我们의 차이

"咱们"一般包括说话者和听话者，而"我们"可以包括听说双方，也可以不包括听话者。

"咱们" generally includes the speaker and the audience, and **"我们"** may include both sides or only the speaker.

咱们은 일반적으로 말하는 사람과 듣는 사람을 포함하는 말인데 반해서，我们 은 말하는 사람측과 듣는 사람측을 포함할 수도 있고 하지만 듣는 측을 포함하지 않을 수도 있다.

例：1.大佑，咱们给老师打个电话吧。

2.今天下午没有课，咱们去商店，好吗？

3.老师，我们一起吃饭，好吗？

4.你们先走吧，我们等一会儿再走。

练习 Exercises 연습 문제

一、朗读句子：／Read the sentences aloud：／아래 문장을 읽으시오：

1.我借给你的DVD光盘你看完了吗？

2.那你能不能先还给我，我有一个朋友也想看。

3.我中午有事，下午上课的时候你带到教室吧。

4.刚才刘老师讲的你都听懂了吗？

5.有一些没听懂。

6.我刚才给他打电话了，可是没打通。

7.那我们等一会儿再打吧。

二、组词成句：／Make sentences with the following words：／주어진 낱말로 문장을 완성하시오：

1.你　看　DVD　借　了　我　你　的　给　吗　完

2.电话 他 我 打 没 给 通 刚才 打

3.还 好 没 自行车 的 修 我

4.刚才 都 懂 讲 刘老师 你 听 的 了 吗

三、选词填空:/ Fill in the blanks with the given words: / 빈 칸에 적당한 낱말을 채워 넣으시오:

怕 着急 捡 借 耽误

1.回家的路上我________到一个包裹。
2.昨天我起晚了,________了火车。
3.我的书丢了,我很________。
4.今天我________下雨,所以带了雨伞。
5.今天我没有带词典,________了大佑的。

四、完成句子:/ Complete the sentences: / 다음 문장을 완성하시오:

1.________________________________,所以打的来的。(怕)
2.电影看完了,________________________________。(咱们)
3.这几天我想了很多,________________________________。(发现)
4.今天在医院,________________________________。(到)
5.我没有钱了,________________________________。(丢)

五、回答问题:/ Answer the questions: / 물음에 답하시오:

1.这本书你看完了吗?

2.你看见老师了吗?

3.你的自行车修好了吗?

4.你洗完衣服了没有?

5.你找没找到自行车?

六、小作文:/ Little composition: / 간단한 작문 연습:

谈一谈你难忘的一件事。

Dì-èrshíyī kè Nǐ dǎ wǎngqiú dǎ de zěnmeyàng

第二十一课 你打 网球 打得 怎么样

Lesson Twenty-one Are you good at playing tennis

제 21 과 당신의 테니스 실력은 어떻습니까

生词 Vocabulary 새로 나온 단어

1. 网球	（名）	wǎngqiú	tennis	테니스
2. 得	（助）	de	*used between a verb or an adjective and its complement to in dicate the result or degree*	구조조사
3. 乒乓球	（名）	pīngpāngqiú	table tennis; pingpong	탁구
4. 会	（动）	huì	to be able to; can	（배워서） 할 수 있다
5. 学	（动）	xué	to study; to learn	배우다
6. 教练	（名）	jiàoliàn	coach	훈련코치
7. 棒	（形）	bàng	very good; fine	멋지다. 훌륭하다
8. 交	（动）	jiāo	to associate with	사귀다. 교제하다
9. 久	（形）	jiǔ	for a long time	오래다. 오랫동안
10. 过	（动）	guò	to spend / pass time	지나다. 경과하다
11. 虽然…但是	（连）	suīrán...dànshì	although; but	비록... 이지만, 그렇지만
12. 地道	（形）	dìdao	pure; typical	진짜의. 본고장의
13. 挺	（副）	tǐng	very	매우. 대단히
14. 慢	（形）	màn	slow	느리다
15. 练习	（动）	liànxí	to practise	연습하다. 익히다
16. 口语	（名）	kǒuyǔ	spoken language	구어
17. 帮助	（动）	bāngzhù	to help; to assist	돕다. 원조하다
18. 感谢	（动）	gǎnxiè	to thank	감사하다
19. 考试		kǎo shì	to have an examination	시험을 보다
20. 睡觉		shuì jiào	to go to bed; to sleep	자다
21. 睡	（动）	shuì	to sleep	（잠을） 자다
22. 要是	（连）	yàoshi	if	만약에... 라면
23. 检查	（动）	jiǎnchá	to check; to inspect	검사하다
24. 因为	（连）	yīnwèi	because	～때문에. ～에 의하여.

一 你打网球打得怎么样
Yī Nǐ dǎ wǎngqiú dǎ de zěnmeyàng

Part One Are you good at playing tennis
1 당신의 테니스 실력은 어떻습니까

（罗伯特和海伦谈爱好）
(Robert and Helen talk about hobbies)
（로버트와 헬렌이 취미에 대해 얘기하다）

罗伯特：你喜欢 什么运动？
Luó bó tè : Nǐ xǐhuan shénme yùndòng？

海伦：我喜欢 打 乒乓球，也喜欢 打 网球。
Hǎilún : Wǒ xǐhuan dǎ pīngpāngqiú， yě xǐhuan dǎ wǎngqiú.

罗伯特：你会打 网 球？打得怎么样？
Luó bó tè : Nǐ huì dǎ wǎngqiú？ Dǎ de zěnmeyàng?

海伦：我 刚 开始 学，打得还不太好。
Hǎilún : Wǒ gāng kāishǐ xué，dǎ de hái bú tài hǎo.

罗伯特：我认识一个 中国 朋友，他 当 过 网 球 教练，打 网 球 打得棒 极了。
Luó bó tè : Wǒ rènshi yí ge Zhōngguó péngyou，tā dāng guo wǎngqiú jiàoliàn，dǎ wǎngqiú dǎ de bàng jí le.

海伦：什 么 时候 介绍 给 我 认识 认识。
Hǎilún : Shénme shíhou jièshào gěi wǒ rènshi rènshi.

罗伯特：没 问题，他 也 很 喜欢 交 朋友。
Luó bó tè : Méi wèn tí， tā yě hěn xǐhuan jiāo péngyou.

二 你说 汉语 说 得 越 来 越 好 了
Èr Nǐ shuō Hànyǔ shuō de yuè lái yuè hǎo le

Part Two Your Chinese is getting better and better
2 당신은 갈수록 중국어를 잘하시는군요

（在校园里，李知恩遇到张明）
(Li Zhi'en comes across with Zhang Ming on the campus)
(교정에서 이지은이 장명을 만남)

张 明： 好久 不 见 了，你 最近 过 得 好 吗？
Zhāng Míng: Hǎojiǔ bú jiàn le, nǐ zuìjìn guò de hǎo ma?

李知恩： 过 得 不错，虽然 很 忙，但是 觉得 很 有 意思。
Lǐ Zhī'ēn: Guò de búcuò, suīrán hěn máng, dànshì juéde hěn yǒu yìsi.

张 明： 你 说 汉语 说 得 越 来 越 地道 了。
Zhāng Míng: Nǐ shuō Hànyǔ shuō de yuè lái yuè dìdao le.

李知恩： 是 吗？谢谢。你 的 韩国语 学 得 怎么样 了？
Lǐ Zhī'ēn: Shì ma? Xièxie. Nǐ de Hánguóyǔ xué de zěnmeyàng le?

张 明： 我 觉得 最近 进步 挺 慢 的。
Zhāng Míng: Wǒ juéde zuìjìn jìnbù tǐng màn de.

李知恩： 你 不 要 着急，如果 想 练习 口语，我 可以 帮助 你。
Lǐ Zhī'ēn: Nǐ bú yào zháojí, rúguǒ xiǎng liànxí kǒuyǔ, wǒ kě yǐ bāngzhù nǐ.

张 明： 非常 感谢。
Zhāng Míng: Fēicháng gǎnxiè.

三　要是考得不好，怎么办呢
Sān　Yàoshi kǎo de bù hǎo，zěnmebàn ne

Part Three　How if not doing well in examination
3　만약 시험을 잘 못보면 어떡해요

我们 下个 星期 考试，别的 同学 都 在 准备，可是 我 最近 身体 有点儿
Wǒmen xià ge xīngqī kǎoshì，biéde tóngxué dōu zài zhǔnbèi，kěshì wǒ zuìjìn shēntǐ yǒudiǎnr
不 舒服，睡觉 睡 得 不 太 好，东西 吃 得 也 很 少。我 很 担心，要是 考 得
bù shūfu，shuìjiào shuì de bú tài hǎo，dōngxi chī de yě hěn shǎo. Wǒ hěndānxīn，yàoshi kǎo de
不 好，怎么办 呢？
bù hǎo，zěnmebàn ne？

今天 张 明 来 找 我，他 让 我 去 医院 检查 检查。我 觉得 不用 去
Jīntiān Zhāngmíng lái zhǎo wǒ，tā ràng wǒ qù yīyuàn jiǎnchá jiǎnchá. Wǒ juéde búyòng qù
医院 ，可能 因为 最近 太 累 了，休息 休息 就 好 了。
yīyuàn，kěnéng yīnwèi zuìjìn tài lèi le，xiūxi xiūxi jiù hǎo le.

语法　Grammar　어법

一、情态补语／Modal complement ／정태 보어

补充描述或评价动作出现后所处的某种情态的补语叫做情态补语。

The complement to describe or evaluate the situation after same action is called modal complement.

简单的情态补语，一般由形容词充任。

Simple modal complement is generally assumed by adjectives.

동각이 일어난 후에 처한 상태를 보충 설명하거나 평가하는 보어를 정태보어라고 한다. 간단한 정태보어는 일반적으로 형용사로 충당한다.

例：1. 我打得很好。

2. 最近过得很好。

3. 她来得很晚。

（二）情态补语的否定式是在情态补语的前边加“不”。

The negative form of modal complement is to put “不” in front of the complement.

정태보어의 부정형은 정태보어의 앞에 부정부사　不를 붙이는 것이다.

例：1. 他打得不太好。

2.最近过得不好。

3.她来得不晚。

(三)带宾语的动词后边如再有情态补语时，必须重复动词。

If there is a modal complement after a verb which is followed by an object, the verb must appear again.

만약에 목적어를 지닌 동사 뒤에 다시 정태보어가 오는 경우에는 반드시 동사를 중복시켜야 한다.

例：1.我打网球打得不太好。

2.他说汉语说得很快。

3.他说韩语说得越来越地道了。

二、“会”／To be able to／능원동사 会

能愿动词“会”表示通过学习掌握某种技能。

“会” denotes that one masters certain skills through studying.

능원동사 会는 일정한 정도의 학습을 통해서 어떤 기능을 갖추었음을 나타낸다.

例：1.我现在会说汉语了。

2.孩子会走路了。

3.我会说四种外语。

三、“虽然……但是……”／Although／but／ 전환을 나타내는 虽然……但是

表示转折关系。

“虽然……但是……” denotes transition.

<비록…하지만, 그러나>. <설령…일지라도, 그러나>의 전환관계를 나타낸다.

例：1.他虽然来得时间不长，但是说汉语说得很好。

2.我虽然很忙，但是觉得很有意思。

3.礼物虽然不贵，但是很漂亮。

练习 Exercises 연습 문제

一、朗读句子:／Read the sentences aloud:／아래 문장을 읽으시오:

1.我喜欢打乒乓球，也喜欢打网球。

2.我刚开始学，打得还不太好。

3. 什么时候介绍给我认识认识。
4. 过得不错，虽然很忙，但是觉得很有意思。
5. 你说汉语说得越来越地道了。
6. 我觉得最近进步挺慢的。
7. 你不要着急，如果想练习口语，我可以帮助你。
8. 我最近身体有点儿不舒服，睡觉睡得不太好，东西也吃得很少。

二、组词成句:／Make sentences with the following words :／주어진 낱말로 문장을 완성하시오 :

1. 你　打　网球　得　怎么样　打

2. 你　说　汉语　得　越来越　说　地道　了

3. 你　的　学　韩国语　得　了　怎么样

三、选词填空:／Fill in the blanks with the given words :／빈 칸에 적당한 낱말을 채워 넣으시오:

地道　练习　检查　帮助　感谢　开始

1. 这个周末我们要去医院________身体。
2. 来中国才一年，他汉语说得已经很________了。
3. 他经常________我学汉语，我很________他。
4. 从明天________，我要努力学习。
5. 我们每天都________口语。

四、完成句子:／Complete the sentences:／다음 문장을 완성하시오 :

1. 今天很冷，________________________________。(得)
2. 虽然他来中国的时间不长，________________________________。(但是)
3. 她不喜欢现在的工作，她打算________________________________。(当)
4. ________________________________，就给我打个电话。(要是)
5. 今天他很不高兴，________________________________。(因为)

五、回答问题:／Answer the questions:／물음에 답하시오:

1. 这次旅行你们吃得好不好?

2. 他汉语说得好吗?

3. 昨天晚上你睡觉睡得怎么样?

4. 你去北京玩儿得好吗?

5. 他的女朋友长得漂亮不漂亮?

六、小作文: / Little composition: / 간단한 작문 연습:

谈谈你在这儿的生活。

Dì-èr shí'èr kè 第二十二课 Lesson Twenty-two 제 22 과

Wǒ shì zuò huǒchē qù de 我是坐火车去的 I went by train 저는 기차를 타고 간 것입니다

生词 Vocabulary 새로 나온 단어

1. 火车	（名）	huǒchē	train	기차
2. 名胜古迹		míngshèng gǔjì	scenic spots and historical sites; places of interest	명승고적
3. 确实	（副）	quèshí	really; indeed	확실히
4. 美丽	（形）	měilì	beautiful	아름답고 곱다.
5. 城市	（名）	chéngshì	city	도시
6. 认为	（动）	rènwéi	to consider; to think	인정하다. 여기다
7. 长	（形）	cháng	long	길다. 오래다
8. 还是	（副）	háishì	may as well; had better	그래도. 역시
9. 家电	（名）	jiādiàn	electrical home appliances	가전. 가전용품
10. 商场	（名）	shāngchǎng	market	시장. 상가
11. 台	（量）	tái	*used for a certain machine, apparatus,ect.*	대. 편. 회
12. 这么	（代）	zhème	such; this	이러한. 이렇게. 이와 같은
13. 打折		dǎ zhé	to discount	할인하다
14. 原来	（名）	yuánlái	formerly; originally	알고 보니
15. 价格	（名）	jiàgé	price	가격
16. 质量	（名）	zhìliàng	quality	품질
17. 好像	（副）	hǎoxiàng	seem; be like	마치... 과 같다
18. 碰	（动）	pèng	meet; run into	부딪치다. 마주치다
19. 件	（量）	jiàn	piece	일. 사건. 개체의 사물 등을 세는 양사
20. 穿	（动）	chuān	to dress	옷을 입다. 신다
21. 新	（形）	xīn	new	새롭다
22. 跟	（介）	gēn	*used to introduce the recipient of an action*	~와... 에서 ; 따르다
23. 打招呼		dǎ zhāohu	to greet; to say hello to	인사하다. 알은체 하다
24. 邀请	（动）	yāoqǐng	to invite	초청하다. 초대하다
25. 午饭	（名）	wǔfàn	lunch	점심
26. 约会	（名）	yuēhuì	appointment ; date	만날 약속을 하다
27. 出租车	（名）	chūzū chē	taxi	택시

专名 Proper Noun 고유명사

1.西安	Xi'ān	Xi'an	서안
2.DVD机	DVDjī	DVD player	DVD 플레 이어

一 我是坐火车去的
Yī Wǒ shì zuò huǒchē qù de

Part One I went by train
1 나는 기차를 타고 간 것입니다

（海伦和罗伯特聊天儿）
(Helen chats with Robert)
（헬렌과 로버트가 하다）

海伦： 听说 西安的 名胜 古迹 很 多，你去过 吗？
Hǎilún： Tīngshuō Xī'ān de míngshèng gǔjì hěn duō，nǐ qùguo ma？

罗伯特： 去过，西安 确实是个非 常 美丽的 城 市。
Luóbótè： Qùguo，Xī'ān quèshí shì ge fēicháng měilì de chéngshì.

海伦： 你是 什么时候去的？
Hǎilún： Nǐ shì shénme shíhou qù de？

罗伯特： 我是 上 个月和 朋友一起去的，我认为你也应该去看看。
Luóbótè： Wǒ shì shàng ge yuè hé péngyou yì qǐ qù de，wǒ rènwéi nǐ yě yīnggāi qù kàn kan.

海伦： 我打算 下个月去。你是怎么去的？
Hǎilún： Wǒ dǎsuàn xià ge yuè qù. Nǐ shì zěnme qù de？

罗伯特： 我是坐 火车去的，可是我觉得坐 火车 时间太 长 了，你还是坐 飞机去吧。
Luóbótè： Wǒ shì zuò huǒchē qù de，kěshì wǒ juéde zuò huǒchē shíjiān tài cháng le，nǐ háishi zuò fēijī qù ba.

二 你的DVD机是在哪儿买的
Èr Nǐ de D V D jī shì zài nǎr mǎi de

Part Two Where did you buy your DVD player
2 당신의 DVD 플레이어 는 어디에서 산 것입니까

(朴大佑和李知恩聊天儿)
(Piao Dayou chats with Li Zhi'en)
(박대우와 이지은이 한담하다)

朴大佑：你的DVD机是在哪儿买的？
Piáo Dàyòu：Nǐ de D V D jī shì zài nǎr mǎi de？

李知恩：是在家电商场买的。
Lǐ Zhī'ēn：Shì zài jiādiàn shāngchǎng mǎi de.

朴大佑：多少钱？我也想买一台。
Piáo Dàyòu：Duōshao qián？Wǒ yě xiǎng mǎi yì tái.

李知恩：598块。
Lǐ Zhī'ēn：598 kuài.

朴大佑：怎么这么便宜？
Piáo Dàyòu：Zěnme zhème piányi？

李知恩：我是商场打折的时候买的，原来的价格八百多呢！
Lǐ Zhī'ēn：Wǒ shì shāngchǎng dǎ zhé de shíhou mǎi de, yuánlái de jiàgé bābǎi duō ne！

朴大佑：质量怎么样？
Piáo Dàyòu：Zhìliàng zěnmeyàng？

李知恩：我觉得挺好的，现在好像还在打折，你可以去看看。
Lǐ Zhī'ēn：Wǒ juéde tǐng hǎo de, xiànzài hǎoxiàng hái zài dǎ zhé, nǐ kěyǐ qù kànkan.

三　昨天我去逛商店了
Sān　Zuótiān wǒ qù guàng shāngdiàn le

Part Three　I went shoping yesterday
3　어제 나는 상점에 구경갔습니다

昨天我去逛商店了，我是坐公共汽车去的，在商店我碰到了海伦。海伦一个人在商店买衣服，她买了好几件衣服。她今天穿的衣服也是她新买的。我跟她打招呼，邀请她一起吃午饭，可是她说她还有个约会，不能跟我一起吃。午饭我是一个人吃的。吃完饭我就一个人坐出租车回学校了。

Zuótiān wǒ qù guàng shāngdiàn le，wǒ shì zuò gōnggòng qìchē qù de，zài shāngdiàn wǒ pèng dào le Hǎilún. Hǎilún yí ge rén zài shāngdiàn mǎi yīfu，tā mǎi le hǎo jǐ jiàn yīfu. Tā jīntiān chuān de yīfu yě shì tā xīn mǎi de. Wǒ gēn tā dǎ zhāohu，yāoqǐng tā yìqǐ chī wǔfàn，kěshì tā shuō tā hái yǒu ge yuēhuì，bù néng gēn wǒ yìqǐ chī. Wǔfàn wǒ shì yí ge rén chī de. Chī wán fàn wǒ jiù yí ge rén zuò chūzūchē huí xuéxiào le.

语法　Grammar　어법

一、“是……的”／“是…的” pattern／是的 구문

（一）强调已发生的动作的时间、地点、方式等，可以用“是……的”结构，要强调的成分放在“是”和“的”之间，“是”可以省略。

“是……的” pattern emphasizes time, place and way of actions, the part emphazied should be put between **“是”** and **“的”**,**“是”** can be omitted.

是……的 구문은 이미 발생한 동작의 시간. 장소. 방식 등을 강조하기 위한 것으로 <是……的> 형식을 취하며 강조하기 위한 성분 즉 상황어는 是와 的 의 중간에 놓으며 是 를 생략할 수 있다.

例：1．这件衣服是在中国买的。

2．我是去年结婚的。

3．录音机是在市中心的商店买的。

4. 我是坐火车回来的。

（二）否定式：“不是……的”。

Negative pattern:**“不是……的”**.

부정형은< 不是…的> 의 형식이다.

例：1. 我不是去年结婚的。

2. 录音机不是在市中心的商店买的。

3. 我不是坐火车回来的。

二、“好像” / Likely to be / 불확실한 판단이나 느낌을 나타내는 好像

用于不太肯定的判断。

“好像” used in the judgement which the person is not very sure.

<마치…인 듯하다> 는 추측으로서 불확실한 판단이나 느낌을 나타내는 데 쓰인다.

例：1.他好像感冒了。

2.我们好像见过面。

3.你好像不太高兴。

练习 Exercises 연습 문제

一、朗读句子：/ Read the sentences aloud：/ 아래 문장을 읽으시오：

1.西安确实是个非常美丽的城市。

2.我认为你也应该去看看。

3.可是我觉得坐火车时间太长了，你还是坐飞机去吧。

4.我是商场打折的时候买的，原来的价格八百多呢！

5.昨天我去逛商店了，我是坐公共汽车去的。

6.在商店我碰到了海伦，海伦一个人在商店买衣服。

7.我跟她打招呼，邀请她一起吃午饭。

8.吃完饭我就一个人坐出租车回学校了。

二、组词成句：/ Make sentences with the following words：/ 주어진 낱말로 문장을 완성하시오：

1.商场 DVD机 是 的 打折 的 时候 买

2.海伦　的　买　衣服　穿　是　新　她　的

3.我　朋友　西安　是　的　上个月　一起　去　和

三、选词填空:／Fill in the blanks with the given words:／빈 칸에 적당한 낱말을 채워 넣으시오:

逛　碰　确实　邀请　原来

1.朋友______我去他家做客。

2.上海______是个美丽的城市。

3.昨天我去____商店了。

4.今天在学校附近我______见玛丽了。

5.我_______的女朋友和别人结婚了。

四、完成句子:／Complete the sentences:／다음 문장을 완성하시오:

1.这本书______________________________。(是……的)

2.他头疼、咳嗽，______________________________。(好像)

3.我和朋友一起来的，______________________________(不是……的)

4.你又迟到了，______________________________。(应该)

5.这个问题，______________________________。(认为)

五、改写句子并回答问题:／Rewrite the sentences and answer them:／보기 처럼 문장을 바꿔쓰고 답하시오:

他什么时候去北京的？→他是什么时候去北京的？→他是上星期去北京的。

1.你什么时候来这儿的？（是……的）

2.你和谁一起来的？（是……的）

3.你怎么来的北京？（是……的）

4.是谁告诉你这件事的？（是……的）

5.你在哪里吃的早饭？（是……的）

六、小作文:／Little composition:／ 간단한 작문 연습:

你去外地旅行回来，和朋友谈一谈去的地点、时间和方式。

Dì-èrshísān kè　Nǐ shì shénme shíhou huílai de

第二十三课　你是什么时候回来的

Lesson Twenty-three　When did you come back

제 23 과　당신은 언제 돌아온 것입니까

生词 Vocabulary 새로 나온 단어

1.谁	(代)	shuí	who	누구. 아무
2.干	(动)	gàn	to do	일하다. 종사하다
3.爷爷	(名)	yéye	grandpa	할아버지
4.差点儿	(副)	chàdiǎnr	almost	하마터면
5.忘	(动)	wàng	to forget	잊다
6.毛衣	(名)	máoyī	sweater	털옷. 스웨터
7.开	(动)	kāi	to hold (a meeting, an exibition, etc.)	(회의를) 열다
8.得	(助动)	děi	to have to	～해야 한다
9.尽量	(副)	jǐnliàng	to the best of one's ability	되도록. 가능한 한이면
10.早	(形)	zǎo	early; as early as	아침 ; 일찍이
11.球迷	(名)	qiúmí	football fan	구기광
12.进	(动)	jìn	to enter	나아가다. 들어가다. 골인하다
13.一直	(副)	yìzhí	all along; all the time	줄곧. 똑바로
14.队	(名)	duì	team; band	대열. 덤
15.比赛	(动/名)	bǐsài	to compete; game	시합하다
16.为	(介)	wèi	for	... 위하여. ～대신하여
17.加油		jiā yóu	to cheer	격려하다. 응원하다
18.比	(动)	bǐ	to compare	～과 비하여
19.新闻	(名)	xīnwén	news	뉴스
20.难道	(副)	nándào	*used to reinforce a rhetorical question*	설마... 하겠는가
21.大概	(副)	dàgài	assumably; maybe	대략 ; 아마도
22.可乐	(名)	kělè	cola	콜라
23.汉堡	(名)	hànbǎo	hamburger	햄버거
24.冰淇淋	(名)	bīngqílín	ice cream	아이스크림
25.放心		fàng xīn	to be at ease	마음을 놓다

专名 Proper Noun 고유명사

麦当劳	Màidāngláo	Macdonald's	맥도널드

一 你是 什么 时候 回来 的
Yī Nǐ shì shénme shíhou huílai de

Part One When did you come back

1 당신은 언제 돌아왔습니까

（在王玲家）
(at Wang Ling's home)
（왕령의 집에서）

王 玲：你是 什么 时候 回来 的？
Wáng Líng: Nǐ shì shénme shíhou huílai de？

丈夫：刚 回来，怎么 回 事？ 谁 都 不 在 家？
Zhàngfu： Gāng huílai， zěnme huí shì？ Shuí dōu bú zài jiā？

王 玲：孩子 去 奶奶 家 了，我 出去 买了 一 件 礼物。
Wáng Líng: Háizi qù nǎinai jiā le， wǒ chūqù mǎi le yí jiàn lǐwù.

丈夫：买 礼物 干 什么？
Zhàngfu： Mǎi lǐwù gàn shénme？

王 玲：明天 不 是 孩子 爷爷 的 生日 吗？
Wáng Líng: Míngtiān bú shì háizi yéye de shēngrì ma？

丈夫：我 差点儿 忘 了，买 的 什么 礼物？
Zhàngfu： Wǒ chàdiǎnr wàng le， mǎi de shénme lǐwù？

王 玲：买了 一 件 毛衣，明 天 你 先 带 孩子 去，我 要 开会，可能 得 晚 点儿 回来。
Wáng Líng: Mǎi le yí jiàn máoyī， míngtiān nǐ xiān dài háizi qù， wǒ yào kāihuì， kěnéng děi wǎndiǎnr huílai.

丈夫：你 尽量 早 点儿 回来。
Zhàngfu： Nǐ jǐnliàng zǎodiǎnr huílai.

王 玲：好 的。
Wáng Líng: Hǎo de.

二　我 也 是 个 球迷 啊
Èr　Wǒ yě shì ge qiúmí a

Part Two　I am a football fan too
2 저 역시도 구기광이에요

(李知恩去朴大佑的宿舍)
(Li Zhi'en goes to Piao Dayou's dormitory)
(이지은이 박대우의 기숙사로 찾아감)

李知恩：　可以 进去 吗？
Lǐ Zhī'ēn：　Kěyǐ jìnqu ma？

朴大佑：　请 等 一会儿，我 先 打扫 打扫 房间。好了，请 进。
Piáo Dàyòu：　Qǐng děng yíhuìr， wǒ xiān dǎsǎo dǎsǎo fángjiān. Hǎo le， qǐng jìn.

李知恩：　这 个 星期 怎么 一直 没 看见 你？
Lǐ Zhī'ēn：　Zhè ge xīngqī zěnme yìzhí méi kànjiàn nǐ？

朴大佑：　韩国 足球队 来 北京 比赛，我 去 为 他们 加 油 了。
Piáo Dàyòu：　Hánguó zúqiúduì lái Běijīng bǐsài， wǒ qù wèi tāmen jiā yóu le.

李知恩：　一比一 对 不 对？
Lǐ Zhī'ēn：　Yī bǐ yī duì bú duì？

朴大佑：　你 怎么 知道 的？
Piáo Dàyòu：　Nǐ zěnme zhīdào de？

李知恩：　我 看 电视 新闻 了，难道 你 忘了，我 也 是 个 球迷 啊。
Lǐ Zhī'ēn：　Wǒ kàn diànshì xīnwén le， nándào nǐ wàngle， wǒ yě shì ge qiúmí a.

三 我 想 出去 玩儿 玩儿
Sān Wǒ xiǎng chū qù wánr wánr

Part Three I want to go out to play for fun
3 저는 밖에 나가 좀 놀고 싶어요

今天 是 刘 老师 的 女儿 的 好 朋友 的 生日 ， 她 女儿 打算 和同学
Jīntiān shì Liú lǎoshī de nǚ'ér de hǎo péngyou de shēngrì， tā nǚ'ér dǎsuan hé tóngxué
一起 出去 玩玩儿，大概 晚 上 九点 回来，刘 老师 让 她 早点 回来。她 说
yìqǐ chūqù wánwánr，dàgài wǎnshang jiǔdiǎn huílai，Liú lǎoshī ràng tā zǎodiǎn huílai. Tā shuō
她们 不会 喝酒 的，只是 去 麦 当劳 喝 可乐、吃 汉堡。她 让 刘 老师 放 心，
tāmen bú huì hējiǔ de，zhǐshì qù Màidāngláo hē kělè，chī hànbǎo. Tā ràng Liú lǎoshī fàngxīn，
她 一定 会 早点儿 回来。
tā yídìng huì zǎodiǎnr huílái.

语法 Grammar 어 법

一、趋向补语（1）／The directional complement／간단 방향보어

动＋来／去，表示动作的方向，“来”表示向着说话人的方向，“去”表示背着说话人的方向。

V.+ “来 come/ 去 go” indicates the direction of movement.“来” indicates the direction towards the speaker,“去” indicates the opposite direction.

간단 방향보어는 < 동사 + 来/去 > 의 형식으로 동작진행의 방향을 나타내는데.

来는 말하는 사람의 방향으로 동작이 진행됨을, 去는 말하는 사람의 반대방향으로 동작이 진행됨을 나타낸다.

例：1.上课了，老师进来了。

2.她回去了。

3.我在楼下等你，你快下来吧。

二、“不是……吗？”／Isn't…／ 긍정을 강조하는 不是…吗

“不是……吗？”构成的反问句，用来表示肯定，并有强调的意思。

“不是……吗?” forms the confirmative question pattern, and is used for expressing affirmation and emphasized things.

不是…吗？로 구성된 반어문은 <...이 아닙니까?> 의 뜻으로, 긍정을 나타내며 더욱 강조하는 의미를 갖고 있다.

例: 1.你不是去旅游了吗？（你去旅游了）

2.这个房间不是很大吗？（这个房间很大）

3.你不是已经知道了吗？（你已经知道了）

练习 Exercises 연습 문제

一、朗读句子:／Read the sentences aloud:／아래 문장을 읽으시오:

1.你是什么时候回来的？

2.孩子去奶奶家了，我出去买了一件礼物。

3.明天不是孩子爷爷的生日吗？

4.你尽量早点儿回来。

5.请等一会儿，我先打扫打扫房间。

6.韩国足球队来北京比赛，我去为他们加油了。

7.难道你忘了，我也是个球迷啊。

8.她女儿打算和同学一起出去玩儿玩儿，大概晚上九点回来。

二、组词成句:／Make sentences with the following words:／주어진 낱말로 문장을 완성하시오:

1.我　买　了　一件　出去　礼物

2.明天　先　你　带　去　孩子

3.先　我　房间　打扫 打扫

4.难道　忘了　你　是　我　也　球迷　个　啊

三、选词填空:／Fill in the blanks with the given words:／빈 칸에 적당한 낱말을 채워 넣으시오:

差点儿　忘　一直　尽量　打扫

1.对不起，我______了给你打电话了。

2.他今天起床晚了，路上又碰上堵车，______没赶上火车。

3. 他很喜欢______他的房间。

4. 他从早上到晚上______在玩电脑。

5. 明天天气冷，我______早点去。

四、完成句子:／Complete the sentences:／ 다음 문장을 완성하시오:

1. 他今天病了，______________________（大概）

2. ______________________？怎么还不出去？（难道）

3. 他一个人来中国留学，他妈妈______________________。（放心）

4. 外边太冷了，快______________________。（进）

五、改写句子并回答问题:／Rewrite the sentences and answer them:／ 보기 처럼 문장을 바꿔쓰고 답하시오:

他去北京了，不要去找他了。→他不是去北京了吗？不要去找他了。

1. 银行关门了，今天不能去了。

2. 他做完作业了，可以出去玩了。

3. 我已经告诉你了，你怎么又忘了？

4. 电脑已经坏了，不能打字了。

5. 我给你买礼物了，你为什么还不高兴？

六、小作文:／Little composition:／ 간단한 작문 연습:

谈谈你难忘的一次生日晚会。

Dì-èrshísì kè Nǐ de bīngxiāng li fàng de xià ma

第二十四课 你的冰箱里放得下吗

Lesson Twenty-four Can your refrigerator hold so many things

제 24 과 당신의 냉장고에 다 넣을 수 있습니까

生词 Vocabulary 새로 나온 단어

1.冰箱	(名)	bīngxiāng	refrigerator	냉장고
2.放	(动)	fàng	to put	놓다. 넣다
3.食品	(名)	shípǐn	food; grocercy	식품
4.部	(名)	bù	department or division	부분. 부위
5.水饺	(名)	shuǐjiǎo	boiled dumpling	물만두
7.那边	(名)	nàbian	that side	그 쪽
6.每	(代)	měi	every; each	매. 각각. 마다 ; 늘. 언제나
8.那么	(代)	nàme	like that; in that way	그렇다면
9.倒霉		dǎo méi	to be down on one's luck; un fortunate	재수없다
10.票	(名)	piào	ticket	표
11.后来	(名)	hòulái	afterwards; later	뒤에. 후일에
12.只好	(副)	zhǐhǎo	have no choice but	부득불. 하는 수 없이
13.锁	(名／动)	suǒ	lock; to lock	(자물쇠를) 잠그다
14.别人	(代)	biérén	others	다른 사람
15.结果	(连)	jiéguǒ	as a result	결국
16.才	(副)	cái	just	～에야 비로소
17.电梯	(名)	diàntī	elevator; lift	엘리베이터
18.突然	(形)	tūrán	sudden; abrupt	갑자기. 돌연
19.停	(动)	tíng	to stop; to halt	멈추다. 정지하다
20.电	(名)	diàn	electricity	전기. 전력
21.吓	(动)	xià	to scare; to frighten	놀라다
22.死	(形)	sǐ	extreme;terrible	죽다
23.最后	(名)	zuìhòu	finally; lastly	최후. 맨 마지막
24.幸亏	(副)	xìngkuī	luckily; thanks to	다행히도
25.部	(量)	bù	*used for books,films, ect.*	서적이나 영화의 양사
26.猜	(动)	cāi	to guess; to suspect	추측하다. 문제를 맞추다
27.意思	(名)	yìsi	meaning; idea	뜻. 의미
28.老	(形)	lǎo	old; aged	오래된. 구식의

一 你的 冰箱 里 放 得 下 吗
Yī Nǐ de bīngxiāng li fàng de xià ma

Part One Can your refrigerator hold so many things
1 당신의 냉장고에 다 넣을 수 있습니까

(朴大佑和李知恩在超市)
(Piao Dayou and Li Zhi'en are in supermarket)
(박대우와 이지은이 슈퍼마켓에서)

朴大佑：知恩，陪 我 去 食品部 逛逛 吧，我 想 买 些 水饺。
Piáo Dàyòu： Zhī'ēn，péi wǒ qù shípǐn bù guàngguang ba，wǒ xiǎng mǎi xiē shuǐjiǎo.
李知恩：好啊，水饺 就 在 那边，有 好多 种 呢。
Lǐ Zhī'ēn： Hǎo a，shuǐjiǎo jiù zài nàbian，yǒu hǎoduō zhǒng ne.
朴大佑：每 种 要 一 斤，你 看 怎么样？
Piáo Dàyòu： Měi zhǒng yào yì jīn，nǐ kàn zěnmeyàng?
李知恩：买 那么 多，你 吃 得 完 吗？
Lǐ Zhī'ēn： Mǎi nàme duō，nǐ chī de wán ma?
朴大佑：没 关系，吃 不 完 可以 放 在 冰箱 里。
Piáo Dàyòu： Méi guānxi，chī bù wán kěyǐ fàng zài bīngxiāng li.
李知恩：这么 多，你 的 冰箱 里 放 得 下 吗？
Lǐ Zhī'ēn： Zhème duō，nǐ de bīngxiāng li fàng de xià ma?
朴大佑：别 担心，我 的 冰箱 很 大，当然 放 得 下。
Piáo Dàyòu： Bié dānxīn，wǒ de bīngxiāng hěn dà，dāngrán fàng de xià.

二　最倒霉的一件事
Èr　Zuì dǎoméi de yí jiàn shì

Part Two　The most unlucky thing
2　가장 재수없는 한 가지 일

（朴大佑、李知恩、罗伯特在聊天）
(Piao Dayou, Li Zhi'en and Robert chat with each other)
(박대우와 이지은，로버트가 한담함)

朴大佑：我最倒霉的一件事是，上个星期天我去旅行，买不到火车票，回不来了。
Piáo Dàyòu：Wǒ zuì dǎoméi de yí jiàn shì shì，shàng ge Xīngqītiān wǒ qù lǚxíng，mǎi bú dào huǒchēpiào，huí bu lái le.

李知恩：那后来你是怎么回来的？
Lǐ Zhī'ēn：Nà hòulái nǐ shì zěnme huílai de?

朴大佑：只好坐飞机了，多花了我一千多块钱。
Piáo Dàyòu：Zhǐhǎo zuò fēijī le，duō huā le wǒ yì qiān duō kuài qián.

李知恩：我更倒霉，有一次我房间的锁坏了，门打不开，我出不去，别人也进不来，结果一天没上课。
Lǐ Zhī'ēn：Wǒ gèng dǎoméi，yǒu yí cì wǒ fángjiān de suǒ huài le，mén dǎ bù kāi，wǒ chū bu qù，biérén yě jìn bu lái，jiéguǒ yì tiān méi shàngkè.

罗伯特：那有什么！我觉得我才是最倒霉的呢！
Luóbótè：Nà yǒu shénme！Wǒ juéde wǒ cái shì zuì dǎoméi de ne！

李知恩：怎么了？说说看！
Lǐ Zhī'ēn：Zěnme le？Shuōshuo kàn！

罗伯特：有一次我坐电梯的时候，突然停电了，我上不去也下不来，差点儿吓死！
Luóbótè：Yǒu yí cì wǒ zuò diàntī de shíhou，tūrán tíng diàn le，wǒ shàng bu qù yě xià bu lái，chàdiǎnr xià sǐ！

李知恩：那最后你是怎么出来的？
Lǐ Zhī'ēn： Nà zuìhòu nǐ shì zěnme chūlai de？
罗伯特：幸亏过了不长时间又来电了。
Luóbótè： Xìngkuī guò le bù cháng shíjiān yòu lái diàn le.

三 他可以猜得到大概的意思
Sān Tā kěyǐ cāi de dào dàgài de yìsi

Part Three He is able to guess the draft meaning

3 그는 대체적으로 무슨 뜻인지 알아 맞출 수 있습니다

罗伯特觉得看中国电影可以帮助他学习汉语，所以来中国以后，他买了很多中国电影的光盘，其中很多我都没看过呢。有一次我想看一部老电影，很久都没有买到，最后在罗伯特那儿找到了。罗伯特说，虽然有时候他看不懂，但是可以猜得到大概的意思。
Luóbótè juéde kàn Zhōngguó diànyǐng kěyǐ bāngzhù tā xuéxí Hànyǔ suǒyǐ lái Zhōngguó yǐhòu, tā mǎi le hěn duō Zhōngguó diànyǐng de guāngpán, qízhōng hěnduō wǒ dōu méi kànguo ne. Yǒu yí cì wǒ xiǎng kàn yí bù lǎo diànyǐng, hěnjiǔ dōu méiyǒu mǎi dào, zuìhòu zài Luóbótè nàr zhǎo dào le. Luóbótè shuō, suīrán yǒu shíhou tā kàn bù dǒng, dànshì kěyǐ cāi de dào dàgài de yìsi.

语法 Grammar 어법

一、可能补语 / The potential complement / 가능보어

在动词和结果补语或趋向补语之间加上结构助词"得"，就构成了可能补语，可能补语表示动作的可能性。

To put the auxiliary word **"得"** between a verb and the resultant complement or the directional complement can form the potential complement. The complement indicates the possibility of actions.

동사와 결과 보어 혹은 방향보어 사이에 구조조사 得를 넣으면 가능보어가되는데 가능보어는 동작의 가능성을 나타낸다.

例：1．你上课听得懂吗？
2．我听得懂。

3. 我看得见你。

否定式：动 + 不 + 结果补语 / 趋向补语。

Negative form: V.+ 不 +consequence complement or directional complement.

가능보어의 부정식은 <동사 + 不+ 결과보어 / 방향보어>의 형식이다.

例: 1. 我有时候上课听不懂。

2. 他这个星期回不来。

3. 我看不见你。

二、趋向补语（2）／The directional complement／ 방향보어(2)

如果动词后有趋向补语又有表示处所的宾语时，处所宾语一定要放在动词和补语之间。

If there are both a directional complement and an object indicating location after a verb, the object of place must be put between the verb and the complement.

만약에 동사 뒤에 방향보어가 오고 동시에 장소를 나타내는 장소성 목적어가올 경우, 장소를 나타내는 목적어는 반드시 동사와 보어 사이에 둔다.

例：1. 您要回家去吗?

2. 我回宿舍去。

3. 他到餐厅去吃饭。

练习 Exercises 연습 문제

一、朗读句子:／Read the sentences aloud:／아래 문장을 읽으시오:

1. 陪我去食品部逛逛吧，我想买些水饺。
2. 每种要一斤，你看怎么样?
3. 买那么多，你吃得完吗?
4. 我的冰箱很大，当然放得下。
5. 上个星期天我去旅行，买不到火车票，回不来了。
6. 门打不开，我出不去，别人也进不来，结果一天没上课。
7. 我上不去也下不来，差点儿吓死!
8. 虽然有时候他看不懂，但是可以猜得到大概的意思。

二、组词成句: / Make sentences with the following words : / 주어진 낱말로 문장을 완성하시오 :

1. 完 放 里 可以 冰箱 吃 不 在

2. 后来 是 回来 那 的 你 怎么

3. 时间 电 幸亏 过 了 来 长 不 了 又

三、选词填空: / Fill in the blanks with the given words : / 빈 칸에 적당한 낱말을 채워 넣으시오:

停 猜 意思 突然 倒霉

1. 我的自行车丢了，真______!
2. 宿舍只有早上有热水，八点以后热水就______了。
3. 你______他暑假去哪儿旅行了?
4. 昨天晚上我的电视机______坏了。
5. 他的________是他没看见那本书。

四、完成句子: / Complete the sentences: / 다음 문장을 완성하시오:

1. ______________________________，才没有迟到。(幸亏)
2. ______________________________小，放不下这张大桌子。(那么)
3. 下午我去取钱的时候银行下班了，____________________。(只好)
4. 星期天我们约好一起去看电影，________________________。(结果)

五、回答问题: / Answer the questions: / 물음에 답하시오:

冰箱里放得下吗? →冰箱里放得下放不下? →我的冰箱很大，放得下。

1. 这种书买得到吗?

2. 作业写得完吗?

3. 老师的声音你听得见吗?

4. 只有十分钟，来得及吗?

六、小作文: / Little composition: / 간단한 작문 연습:

谈谈你最倒霉的一件事。

Dì-èrshíwǔ kè Qí chē bǐ zuò chē kuài

第二十五课 骑车比坐车快

Lesson Twenty-five It's faster to ride a bicycle than take a car

제 25 과 자전거를 타는 것이 차를 타는 것보다 빠릅니다

生词 Vocabulary 새로 나온 단어

1.而且	(连)	érqiě	and that; furthermore	게다가. 뿐만 아니라
2.拥挤	(形)	yōngjǐ	congested; packed; crowded	붐비다. 북적이다
3.正好	(副)	zhènghǎo	just right	꼭 알맞다. 딱 좋다 ; 마침. 공교롭게도
4.重要	(形)	zhòngyào	important	중요하다
5.交通	(名)	jiāotōng	transportation; traffic	교통
6.工具	(名)	gōngjù	tool; facility	공구. 수단
7.之一		zhī yī	one of	~의 하나
8.堵	(动)	dǔ	to block up	막다. 가로막다
9.…的话		…dehuà	if…	~한다면
10.完全	(副)	wánquán	completely; entirely	완전하다. 완전히. 전혀. 전적으로
11.不如	(动)	bùrú	not be equal to;be inferior to; not as good as	~만 못하다... 하는 편이 낫다
12.胖	(形)	pàng	fat	뚱뚱하다. 살찌다
13.性格	(名)	xìnggé	character	성격
14.外向	(形)	wàixiàng	(of people)extroverted	성격이 외향적이다
15.活泼	(形)	huópō	lively; vivacious; vivid	활발하다. 생동감이 있다
16.内向	(形)	nèixiàng	(of people)introverted	내향적이다. 소심하다
17.爱	(动)	ài	to love; to like	사랑하다
18.说话		shuō huà	to speak; to talk	말하다
19.成为	(动)	chéngwéi	to become; to turn into	~가 되다
20.文化	(名)	wénhuà	culture; civilization	문화. 일반 교양 지식
21.学期	(名)	xuéqī	semester; term	학기
22.爱人	(名)	àiren	lover; husband or wife	남편 또는 아내
23.对方	(名)	duìfāng	the other side; opposing party	상대방
24.脾气	(名)	píqì	temper	성격. 기질
25.吵架		chǎo jià	to quarrel	다투다. 말다툼하다
26.关系	(名)	guānxi	relation	관계
27.相信	(动)	xiāngxìn	to believe	서로 믿다

一 骑车比坐车快
Yī Qí chē bǐ zuò chē kuài

Part One It's faster to ride a bicycle than to take a car
1 자전거를 타는 것이 차를 타는 것보다 빠릅니다

（海伦和罗伯特在谈中国的交通情况）
(Helen and Robert talk about the traffic situation of China)
（헬렌과 로버트가 중국의 교통상황에 대해 얘기를 나눔）

罗伯特：在 中国 旅行 坐 火车 比较 方 便，而且 比 坐 飞机 便宜。
Luó bó tè： Zài Zhōngguó lǚxíng zuò huǒchē bǐjiào fāngbiàn, érqiě bǐ zuò fēi jī piányi.

海伦：坐 火车 的 人 那么 多，多 拥挤 啊！
Hǎilún： Zuò huǒchē de rén nàme duō, duō yōngjǐ a!

罗伯特：人 多 才 好 呢！ 正 好 可以 练习 汉语，还 可以 交到 朋 友。
Luó bó tè： Rén duō cái hǎo ne! Zhènghǎo kěyǐ liànxí Hànyǔ, hái kěyǐ jiāodào péngyou.

海伦：除了 火车 以外，自行 车 也 是 中国 人 最 重 要 的 交通 工 具 之 一。
Hǎilún： Chú le huǒchē yǐwài, zìxíngchē yě shì Zhōngguó rén zuì zhòngyào de jiāotōng gōngjù zhī yī.

罗伯特：是 啊，在 城 市，有 时候 骑 自行 车 比 坐 公共 汽车 更 快。
Luó bó tè： Shì a, zài chéngshì, yǒu shíhou qí zìxíngchē bǐ zuògōnggòng qì chē gèng kuài.

海伦：不会 吧？坐 车 怎么 会 没有 骑车 快 呢？
Hǎilún： Búhuì ba? Zuòchē zěnme huì méiyǒu qí chē kuài ne?

罗伯特：坐 车 有 时候 会 堵 车，路 近 的 话，比 骑 自行 车 还 慢。
Luó bó tè： Zuòchē yǒu shíhou huì dǔ chē, lù jìn de huà, bǐ qí zìxíngchē hái màn.

二 他跟我很不一样
Èr Tā gēn wǒ hěn bù yíyàng

Part Two He is quite different from me
2 그는 저와 매우 다릅니다

(朴大佑和李知恩在谈朴大佑的朋友)
(Piao Dayou talks about his friend with Li Zhi'en)
(박대우와 이지은이 박대우의 친구에 대해 얘기를 나눔)

朴大佑：我最好的朋友比我大，但是跟我完全不一样。
Piáo Dàyòu: Wǒ zuì hǎo de péngyou bǐ wǒ dà, dànshì gēn wǒ wánquán bù yíyàng.

李知恩：他是个什么样的人？
Lǐ Zhī'ēn: Tā shì ge shénmeyàng de rén?

朴大佑：他不如我高，但比我胖。
Piáo Dàyòu: Tā bù rú wǒ gāo, dàn bǐ wǒ pàng.

李知恩：是不是你们的性格也不一样？
Lǐ Zhī'ēn: Shì bú shì nǐmen de xìnggé yě bù yíyàng?

朴大佑：对，他很外向，非常活泼，我比较内向，不爱说话。
Piáo Dàyòu: Duì, tā hěn wàixiàng, fēicháng huópo, wǒ bǐjiào nèixiàng, bú ài shuō huà.

李知恩：那你们怎么会成为最好的朋友呢？
Lǐ Zhī'ēn: Nà nǐmen zěnme huì chéngwéi zuì hǎo de péngyou ne?

朴大佑：我们都喜欢踢足球，而且都对中国文化感兴趣。
Piáo Dàyòu: Wǒmen dōu xǐhuan tī zúqiú, érqiě dōu duì Zhōngguó wénhuà gǎn xìngqù.

李知恩：那他也在这儿学习汉语吗？
Lǐ Zhī'ēn: Nà tā yě zài zhèr xuéxí Hànyǔ ma?

朴大佑：不，他打算下个学期来这儿学习。
Piáo Dàyòu: Bù, tā dǎsuàn xià ge xuéqī lái zhèr xuéxí.

三 我和爱人
Sān Wǒ hé àiren

Part Three My husband and I
3 나와 나의 남편

我和我爱人是大学同学，我们认识七年了，我们都很爱对方，
Wǒ hé wǒ àiren shì dàxué tóngxué, wǒmen rènshi qī nián le, wǒmen dōu hěn ài duìfāng,
可是他的性格跟我的很不一样。他的脾气比我好，说话做事都
kěshì tā de xìnggé gēn wǒ de hěn bù yíyàng. Tā de píqi bǐ wǒ hǎo, shuōhuà zuò shì dōu
比我慢。我呢，做什么都快。所以有时候我们会吵架。现在我们
bǐ wǒ màn. Wǒ ne, zuò shénme dōu kuài. Suǒyǐ yǒu shíhou wǒmen huì chǎojià. Xiànzài wǒmen
的关系比以前好了，我相信，我们以后会比现在更好。
de guānxi bǐ yǐqián hǎo le, wǒ xiāngxìn, wǒmen yǐhòu huì bǐ xiànzài gèng hǎo.

语法 Grammar 어법

一、比较句 / The comparative sentence / 비교문

(一) 表示异同的：

To indicate similarities and differences:

A+ 跟 / 和 +B (+ 不) + 一样 (+ adj)

서로 같거나 서로 다름을 나타낸다 :

그 형식은 < A + 跟 / 和 + B +（不）一样 （형용사）의 형식이다.

例：1.他的毛衣跟我的一样。

2.我跟哥哥一样高。

3.他的房间和我的不一样。

(二) 表示差别的：

To indicate variety:

A 比 B+adj

차이가 있음을 나타낸다 :

< A + 比 + B + 형용사 >의 형식이다.

例： 1.在中国旅行坐火车比坐飞机便宜。

2.我最好的朋友比我大。

否定式：A 没有 B……或 A 不如 B…

Negative form: **"A 没有 B……" or "A 不如 B……"**

부정식은 < A 没有 B…. 혹은 A 不如 B… >의 형식이다

例：1. 我没有我最好的朋友大。

2. 我没有他那么有钱。

3. 哥哥没有我这么爱唱歌。

4. 北京的春天不如上海暖和。

5. 我游泳不如他好。

二、"……的话" /if... /가정을 나타내는…的话

"……的话"表示假设。

"……的话" indicates hypothesis.

< 만약 …한다면 >의 뜻으로 가설을 나타낸다.

例：1. 有时间的话，就去旅行。

2. 身体不好的话，不要去上课了。

3. 喜欢的话，就买一个吧。

练习 Exercises 연습 문제

一、朗读句子：/ Read the sentences aloud：/아래 문장을 읽으시오：

1. 在中国旅行坐火车比较方便，而且比坐飞机便宜。
2. 正好可以练习汉语，还可以交到朋友。
3. 除了火车以外，自行车也是中国人最重要的交通工具之一。
4. 在城市，有时候骑自行车比坐公共汽车更快。
5. 我最好的朋友比我大，但是跟我完全不一样。
6. 他不如我高，但比我胖。
7. 我们都喜欢踢足球，而且都对中国文化感兴趣。
8. 他的脾气比我好，说话做事都比我慢。

二、组词成句：/ Make sentences with the following words：/주어진 낱말로 문장을 완성하시오：

1. 怎么 坐车 没有 骑车 呢 快 会

2.怎么　你们　会　最好　的　呢　成为　朋友　那

3.可是　性格　他　的　很不一样　跟　我　的

三、选词填空:／Fill in the blanks with the given words:／빈 칸에 적당한 낱말을 채워 넣으시오:

重要　脾气　吵架　关系　相信

1.他们两个人的________不错。

2.老师________我们一定会学好汉语。

3.他的________不太好，常常跟家人________。

4.要先选择做那些________的事情。

四、完成句子:／Complete the sentences:／다음 문장을 완성하시오:

1.他学习很努力，________________(而且)，所以他的汉语水平提高得很快。

2.中国的天气________________________。(跟)

3.我们在中国除了学习汉语以外，________________________。(还)

4.________________________，我就去旅游。(……的话)

五、改写句子并回答问题:／Rewrite the sentences and answer them:／보기 처럼 문장을 바꿔쓰고 답하시오:

我胖，他瘦→我比他胖。／他没有我胖。

1.我个子高，他个子矮。

2.我的性格外向，他的性格内向。

3.坐飞机快，坐火车慢。

4.他做事慢，我做事快。

5.我的脾气好，他的脾气不好。

六、小作文:／Little composition:／간단한 작문 연습:

介绍一个你的朋友，注意用上本课所学的词语。

Dì-èrshíliù kè Jīntiān de qì wēn bǐ zuótiān hái dī wǔ dù

第二十六课 今天的气温比昨天还低五度

Lesson Twenty-six The temperature today is lower by five degrees even than that of yesterday

제 26 과 오늘 기온은 어제에 비해서 5 도가 낮습니다

生词 Vocabulary 새로 나온 단어

1. 气温	（名）	qìwēn	temperature	기온
2. 低	（形）	dī	low	낮다
3. 度	（量）	dù	degree	온도. 밀도. 경도 등의 단위
4. 天气	（名）	tiānqì	weather	날씨. 일기
5. 冷	（形）	lěng	cold	춥다. 차다
6. 预报	（名）	yùbào	forecast	예보
7. 南方	（名）	nánfāng	south; southward	남쪽. 남방
8. 冬天	（名）	dōngtiān	winter	겨울
9. 北方	（名）	běifāng	north; northward	북방
10. 暖和	（形）	nuǎnhuo	warm	따뜻하다. 온화하다
11. 越…越…		yuè…yuè…	the more… the more	～하면, 할수록～하다
12. 下雪		xià xuě	to snow	눈이 내리다
13. 希望	（动）	xīwàng	to hope	희망하다
14. 雪景	（名）	xuě jǐng	the snow scenery	설경
15. 厘米	（量）	límǐ	centimetre	센티미터
16. 矮	（形）	ǎi	short	키가 작다.
17. 公斤	（量）	gōngjīn	kilogram	킬로그램
18. 水平	（名）	shuǐpíng	level	수평. 수준
19. 吹牛		chuī niú	boast	허풍을 떨다
20. 干吗	（代）	gànmá	why	무엇 때문에. 어째서. 왜
21. 认真	（形）	rènzhēn	earnest; conscientious	성실하다. 진지하다
22. 开玩笑		kāi wánxiào	to joke; to make fun of	농담을 하다
23. 对	（量）	duì	pair	쌍. 짝
24. 双胞胎	（名）	shuāngbāotāi	twins	쌍둥이
25. 出生	（动）	chūshēng	to born	출생하다
26. 分钟	（量）	fēnzhōng	minute	분
27. 俩	（数量）	liǎ	two	명. 개
28. 已经	（副）	yǐjīng	already	이미. 벌써
29. 幼儿园	（名）	yòu'éryuán	kindergarten	유아원. 유치원

专名 Proper Noun 고유명사

1. 圣诞节	Shèngdàn Jié	Christmas	성탄절
2. 宝宝	Bǎobao	Baobao	빠오빠오
3. 贝贝	Bèibei	Beibei	뻬이뻬이

一 今天 的 气温 比 昨天 还 低 五 度
Yī Jīntiān de qìwēn bǐ zuótiān hái dī wǔ dù

Part One The temperature today is lower by five degrees even than that of yesterday
1 오늘 기온은 어제보다 5도 낮습니다

(冬天，海伦和张明在谈天气)
(In winter, Helen and Zhang Ming talk about weather)
(겨울, 헬렌과 장명이 날씨를 얘기함)

海伦：天气 越来越 冷了。
Hǎilún: Tiānqi yuè lái yuè lěng le .

张 明：是 啊，天气 预报 说，明天 的 气温 比 今天 还 低 五 度 呢。
Zhāng Míng: Shì a , tiānqi yùbào shuō, míngtiān de qìwēn bǐ jīntiān hái dī wǔ dù ne.

海伦：怎么 这么 冷 啊。中国 南方 的 冬 天 要 比 北方 暖和 一些 吧？
Hǎilún: Zěnme zhème lěng a. Zhōngguó nánfāng de dōngtiān yào bǐ běifāng nuǎnhuo yìxiē ba ?

张 明：是 啊，越 往 南 越 暖和。
Zhāng Míng: Shì a , yuè wǎng nán yuè nuǎnhuo.

海伦：这儿 冬 天 下 雪 吗？真 希望 能 在 圣诞 节 的 时候 看到 雪景。
Hǎilún: Zhèr dōngtiān xià xuě ma ?Zhēn xīwàng néng zài Shèngdàn Jié de shíhou kàndào xuějǐng .

张 明：这儿 每年 冬天 都 下 雪，你 一定 会 看到 美丽 的 雪景 的。
Zhāng Míng: Zhèr měinián dōngtiān dōu xià xuě, nǐ yídìng huì kàndào měilì de xuějǐng de.

二 比一比
Èr Bǐ yì bǐ

Part Two To compare
2 비교해 봅시다

（李知恩和朴大佑聊天儿）
(Li Zhi'en chats with Piao Dayou)
（이지은과 박대우의 한담）

李知恩：我们 来 说 说 自己 比 对方 好 的 地方 吧。
Lǐ Zhī'ēn：Wǒmen lái shuōshuo zì jǐ bǐ duìfāng hǎo de dìfang ba.

朴大佑：我 比 你 高 三 厘米。
Piáo Dàyòu：Wǒ bǐ nǐ gāo sān lí mǐ.

李知恩：我 只 比 你 矮 一点儿，可是 你 比 我 胖 十 公斤。
Lǐ Zhī'ēn：Wǒ zhǐ bǐ nǐ ǎi yìdiǎnr, kěshì nǐ bǐ wǒ pàng shí gōngjīn.

朴大佑：我 比 你 大 两 岁，所以 你 应该 叫 我 哥哥。
Piáo Dàyòu：Wǒ bǐ nǐ dà liǎng suì, suǒyǐ nǐ yīnggāi jiào wǒ gēge.

李知恩：你 比 我 多 学 一 年 汉语，可是 你 的 汉语 水平 和 我 的 差不多。
Lǐ Zhī'ēn：Nǐ bǐ wǒ duō xué yì nián Hànyǔ, kěshì nǐ de Hànyǔ shuǐpíng hé wǒ de chà bu duō.

朴大佑：我 会 做 十几 种 中 国 菜，你 呢？
Piáo Dàyòu：Wǒ huì zuò shí jǐ zhǒng Zhōngguó cài, nǐ ne?

李知恩：十几 种？你 不 是 在 吹 牛 吧？
Lǐ Zhī'ēn：Shí jǐ zhǒng? Nǐ bú shì zài chuī niú ba?

朴大佑：干吗 那么 认真 啊？我 跟 你 开 玩笑 呢。
Piáo Dàyòu：Gànmá nàme rènzhēn a? Wǒ gēn nǐ kāi wánxiào ne.

三 宝宝和贝贝
Sān Bǎobao hé Bèibei

Part Three Baobao and Beibei

3 빠오빠오와 뻬이뻬이

宝宝和贝贝是一对双胞胎,姐姐比妹妹早出生三分钟。现在姐妹俩已经五岁了,姐妹俩都又聪明又可爱。姐姐比妹妹高一些,妹妹比姐姐胖一点儿。姐妹俩的性格也不一样,妹妹比姐姐外向得多,所以她们俩在一起的时候,常常是妹妹说话、姐姐听。幼儿园的小朋友都喜欢宝宝和贝贝。

Bǎobao hé Bèibei shì yí duì shuāngbāotāi, jiějie bǐ mèimei zǎo chūshēng sān fēnzhōng. Xiàn zài jiěmèiliǎ yǐjing wǔ suì le, jiěmèiliǎ dōu yòu cōngmíng yòu kě'ài. Jiějie bǐ mèimei gāo yìxiē, mèimei bǐ jiějie pàng yìdiǎnr. Jiěmèiliǎ de xìnggé yě bù yíyàng, mèimei bǐ jiějie wàixiàng de duō, suǒyǐ tāmenliǎ zài yìqǐ de shíhou, chángchángshì mèimei shuōhuà, jiějie tīng. Yòu'éryuán de xiǎo péngyou dōu xǐhuan Bǎobao hé Bèibei.

语法 Grammar 어법

一、数量补语 / The quantity complement / 수량보어

在用"比"表示的形容词谓语句中,如果要表示两事物的具体差别,就在谓语后边加上数量词做补语,这种补语叫"数量补语"。

If to show the concrete differences between two objects in the adjective predicate sentence with **"比"**, just put a quantifier as complement after the predicate,and the compound is called complement of quantity.

"比"권를 이용한 형용사 술어문에서 두 사물의 구체적 차이를 나타내려 할 때는 술어 뒤에 수량사를 더해 보어로 삼는다. 이러한 보어를 수량보어라고 한다.

例:1.明天的气温比今天还低五度。

2.我比你大两岁。

3.中国南方的冬天要比北方暖和一些。

4.我只比你矮一点儿。

二、"越A越B" / The more A the more B / 더욱 더를 나타내는 부사 越……越

表示在程度上B随着A的变化而变化。

"越A越B" indicates that B changes along with the changes of A.

越 는 <점점 더욱 더 >라는 뜻의 부사로서, 정도를 표시하는 데 있어서 어떤 조건이 발전함에 따라서 그 정도가 더욱 변화 발전한다는 것을 나타낸다. 즉, <…이A 할수록 …은 더욱 B 한다 >, B 는 A 의 변화에 따라 변화하는 것이다.

例：1.他越说越高兴。

2.我越看越喜欢。

3.他越想去，我越不让他去。

练习 Exercises 연습 문제

一、朗读句子：/ Read the sentences aloud：/아래 문장을 읽으시오：

1.天气越来越冷了。
2.中国南方的冬天要比北方暖和一些吧？
3.真希望能在圣诞节的时候看到雪景。
4.这儿每年冬天都下雪，你一定会看到美丽的雪景的。
5.我只比你矮一点儿，可是你比我胖十公斤。
6.你比我多学一年汉语，可是你的汉语水平和我的差不多。
7.姐姐比妹妹高一些，妹妹比姐姐胖一点儿。
8.姐妹俩的性格也不一样，妹妹比姐姐外向得多。

二、组词成句：/ Make sentences with the following words：/주어진 낱말로 문장을 완성하시오：

1.你 的 会 美丽 看到 的 雪景 一定

2.一点儿 我 只 矮 你 比

3.和 水平 我的 差不多 汉语 你的

三、选词填空：/ Fill in the blanks with the given words：/ 빈 칸에 적당한 낱말을 채워 넣으시오：

暖和 希望 认真 下雪 水平

1.他是一个________的好学生。
2.老师______我们多和中国朋友聊天儿。
3.冬天的时候，房间里比外面________多了。

4.明天还会______吗?

5.他的汉语______比我高。

四、完成句子:/ Complete the sentences:/ 다음 문장을 완성하시오:

1.冬天过去了,________________________________。(越……越……)

2.今天的作业不多,________________________________。(已经)

3.我只是和你开了一个小玩笑,________________________。(干吗)

4.这本书20块,那本书30块,这本书________________________。(比)

5.他太累了,________________________________。(越A越B)

五、改写句子:/Rewrite the sentences:/ 보기처럼 문장을 바꿔 쓰시오:

今天10度,明天5度。→今天比明天高5度。→明天比今天低5度。

1.姐姐25岁,妹妹22岁。

2.一班有12个学生,二班有16个学生。

3.我学了半年汉语,他学了一年汉语。

4.我50公斤,他70公斤。

六、小作文:/ Little composition:/ 간단한 작문 연습:

说说中国和你们的国家不一样的地方。

Dì-èrshíqī kè Nǐ liáotiānr liáo le duō cháng shíjiān

第二十七课 你聊天儿聊了多长时间

Lesson Twenty-seven How long have you been chatting

제 27 과 당신은 몇 시간 동안 한담 하였습니까

生词 Vocabulary 새로 나온 단어

1. 聊	（动）	liáo	to chat	한담하다. 잡담하다
2. 脸色	（名）	liǎnsè	expression; look	안색. 혈색
3. 病	（名）	bìng	illness; sickness	병. 질병
4. 通宵	（名）	tōngxiāo	all night; overnight	온 밤을 지새다. 철야하다
5. 厉害	（形）	lìhai	fearfulness	대단하다. 굉장하다. 심하다
6. 影响	（动）	yǐngxiǎng	to affect; to influence	영향을 주다
7. 篮球	（名）	lánqiú	basketball	농구
8. 一般	（形）	yìbān	commonly	일 반적 으로
9. 餐厅	（名）	cāntīng	dining hall; restaurant	식당
10. 早饭	（名）	zǎofàn	breakfast	조반. 아침밥
11. 起	（动）	qǐ	to get up; to rise	일어나다
12. 白天	（名）	báitiān	day; daytime	낮. 대낮
13. 困	（形）	kùn	sleepy	졸립다
14. 习惯	（动）	xíguàn	to be used to; to custom /habbit	습관이 되다
15. 外面	（名）	wàimiàn	outside	바깥. 밖. 겉면
16. 锻炼	（动）	duànliàn	to take exercise	단련하다
17. 主要	（形）	zhǔyào	main; chief	주요하다 ; 주로. 대부분
18. 自信	（名）	zìxìn	self-confidence; assuredness	자신감
19. 最少		zuì shǎo	at least	친소한
20. 录音	（名）	lùyīn	record	녹음
21. 语言	（名）	yǔyán	language	언어
22. 环境	（名）	huánjìng	circumstance; environment	환경
23. 交流	（动）	jiāoliú	to communicate	교류

一 你聊天儿聊了多长时间
Yī Nǐ liáo tiānr liáo le duō cháng shíjiān

Part One How long have you been chatting

1 당신은 몇 시간 동안이나 한담을 나누었습니까

（李知恩和朴大佑聊天儿）
(Li Zhi'en chats with Piao Dayou)
（이지은과 박대우의 한담）

李知恩：大佑，你的脸色不太好，病了吗？
Lǐ Zhī'ēn: Dàyòu, nǐ de liǎnsè bú tài hǎo, bìngle ma?

朴大佑：不是，是昨天睡得太晚了。
Piáo Dàyòu: Bú shì, shì zuótiān shuì de tài wǎn le.

李知恩：为什么睡得那么晚？又去喝酒了吧？
Lǐ Zhī'ēn: Wèi shénme shuì de nàme wǎn? Yòu qù hē jiǔ le ba?

朴大佑：哪儿啊，我上网和朋友聊天儿了。
Piáo Dàyòu: Nǎr a, wǒ shàng wǎng hé péngyou liáo tiānr le.

李知恩：真的？那你们聊了多长时间？
Lǐ Zhī'ēn: Zhēn de? Nà nǐmen liáo le duōcháng shíjiān?

朴大佑：差不多聊了一个通宵。早上只睡了两个小时。
Piáo Dàyòu: Chàbuduō liáo le yí ge tōngxiāo. Zǎoshàng zhǐ shuì le liǎng ge xiǎoshí.

李知恩：啊？你们太厉害了！可是这样不会影响学习吗？
Lǐ Zhī'ēn: A? Nǐmen tài lìhai le! Kěshì zhèyàng bú huì yǐngxiǎng xuéxí ma?

朴大佑：我是写完作业才聊的，再说，我们每周只聊一次。
Piáo Dàyòu: Wǒ shì xiě wán zuòyè cái liáo de, zàishuō, wǒmen měi zhōu zhǐ liáo yí cì.

二 你每天都打篮球吗
Èr Nǐ měitiān dōu dǎ lánqiú ma

Part Two Do you play tennis every day
2 당신은 날마다 테니스 합니까

（海伦和罗伯特谈爱好）
(Helen and Robert talk about hobbies)
（헬렌과 로버트가 취미를 애기하다）

海伦：罗伯特，你每天都打篮球吗？
Hǎilún: Luóbótè, nǐ měitiān dōu dǎ lánqiú ma?

罗伯特：对啊，我每天都打一个小时篮球，你也喜欢打篮球吗？
Luóbótè: Duì a, wǒ měitiān dōu dǎ yí ge xiǎoshí lánqiú, nǐ yě xǐhuan dǎ lánqiú ma?

海伦：不是特别喜欢，我喜欢跑步。
Hǎilún: Búshì tèbié xǐhuan, wǒ xǐhuan pǎobù.

罗伯特：你一般什么时候跑步？
Luóbótè: Nǐ yìbān shénme shíhou pǎo bù?

海伦：我每天早上五点起床，跑半个小时步，然后去餐厅吃早饭。
Hǎilún: Wǒ měitiān zǎoshang wǔ diǎn qǐ chuáng, pǎo bàn ge xiǎoshí bù, ránhòu qù cāntīng chī zǎofàn.

罗伯特：你每天起得那么早，白天不困吗？
Luóbótè: Nǐ měitiān qǐ de nàme zǎo, báitiān bú kùn ma?

海伦：一点儿也不困，我已经习惯了。你不知道吧？我跑步的时候，已经有很多中国人在外面锻炼身体了。我还跟他们学会了打太极拳呢。
Hǎilún: Yìdiǎnr yě bú kùn, wǒ yǐjing xíguàn le. Nǐ bù zhīdào ba? Wǒ pǎobù de shíhou, yǐjing yǒu hěn duō Zhōngguó rén zài wàimian duànliàn shēntǐ le. Wǒ hái gēn tāmen xué huì le dǎ Tàijíquán ne.

三 学习汉语的方法
Sān Xuéxí Hànyǔ de fāngfǎ

Part Three The method of studying Chinese
3 중국어 학습의 방법

我认为学习汉语的方法主要有三个：
Wǒ rènwéi xuéxí Hànyǔ de fāngfǎ zhǔyào yǒu sān ge:
第一，要对汉语感兴趣，这对学好汉语非常重要。
Dì-yī, yào duì Hànyǔ gǎn xìngqù, zhè duì xué hǎo Hànyǔ fēicháng zhòngyào.
第二，要有自信，相信自己一定能学好汉语。
Dì-èr, yào yǒu zìxìn, xiāngxìn zìjǐ yídìng néng xué hǎo Hànyǔ.
第三，应该有好的学习方法，要多听，每天最少听两个小时的汉语录音。还要多说，在中国学习汉语有很好的语言环境，和中国人交流也是学习汉语非常好的方法。
Dì-sān, yīnggāi yǒu hǎo de xuéxí fāngfǎ, yào duō tīng, měitiān zuì shǎo tīng liǎng ge xiǎoshí de Hànyǔ lùyīn. Hái yào duō shuō, zài Zhōngguó xuéxí Hànyǔ yǒu hěn hǎo de yǔyán huánjìng, hé Zhōngguó rén jiāoliú yě shì xuéxí Hànyǔ fēicháng hǎo de fāngfǎ

语法 Grammar 어법

一、时量补语 / The complement of duration / 시량보어

时量补语用来说明一个动作或一种状态持续多长时间。动词后又有时量补语又有宾语时，一般要重复动词，时量补语放在第二个动词后，如例1、例2；如果宾语不是人称代词，时量补语也可放在动词和宾语之间，如例3、例4。

The complement of duration is to describe the duration of a movement or a state. The verb should be repeated when there are both the complement of duration and an object after it. The complement of duration would follow the second verb. i.e. sample 1 and 2; If the object is not a personal pronoun, the complement of duration may be put between the verb and the object. i.e. sample 3, 4.

시량보어는 어떤 동작이나 상태가 얼마 동안이나 지속되었는지를 설명하는 데 쓰인다. 동사 뒤에 시량보어와 목적어가 있을 때는 일반적으로 동사를 중복시켜야 하는데시량보어는 두 번째 동사 뒤에 둔다. (예 1.2) 만약에 목적어가 인칭대명사가 아닐 때

는 시량보어를 동사와 목적어 사이에도 둘수 있다.(예 3.4)

例：1.你做作业做了多长时间?

2.我坐公共汽车要坐一个半小时。

3.我做了三个小时语法作业。

4.我每天都打一个小时篮球。

二、强调否定 / Emphasis denying / 부정의 강조

(一)"一点儿也不＋形容词"

一点儿也不＋adjective

< 一点儿也不 ＋ 형용사 > 는 <조금도…하지 않는다 > 의 뜻으로 부정하는 내용을 더욱 강조하는 데 쓰인다.

例：1.我一点也不累。

2.汉语一点也不难。

3.我这几天一点也不忙。

(二)数量词＋名词＋不/没＋动词

Quantifier+noun+不/没+verb

< 수량사 ＋ 명사 ＋ 不/ 没 ＋ 동사 >의 형식으로 부정하는 내용을 강조한다.

例：1.我一次动物园也没去过。

2.今天早上我一点儿饭也没吃。

3.我一句话也不想说。

练习 Exercises 연습 문제

一、朗读句子: / Read the sentences aloud: /아래 문장을 읽으시오:

1.哪儿啊，我上网和朋友聊天儿了。

2.那你们聊了多长时间?

3.差不多聊了一个通宵，早上只睡了两个小时。

4.这样不会影响学习吗?

5.我每天都打一个小时篮球。

6.我每天早上五点起床，跑半个小时步，然后去餐厅吃早饭。

7. 一点儿也不困，我已经习惯了。

8. 我还跟他们学会了打太极拳呢。

9. 和中国人交流也是学习汉语非常好的方法。

二、组词成句：/ Make sentences with the following words：/ 주어진 낱말로 문장을 완성하시오：

1. 上网　我　和　聊天儿　了　朋友

2. 篮球　一个　都　打　我　小时　每天

3. 时候　你　什么　一般　跑步

三、选词填空：/ Fill in the blanks with the given words：/ 빈 칸에 적당한 낱말을 채워 넣으시오：

差不多　厉害　习惯　重要　病

1. 他很＿＿＿＿＿，每次考试都考第一名。

2. 今天我不舒服，可能是＿＿＿＿了。

3. 从上次他来中国到现在＿＿＿＿＿10年了。

4. 哥哥＿＿＿＿＿每天都打一个小时篮球。

5. 学习汉语，多听多说是非常＿＿＿＿＿的。

四、完成句子：/ Complete the sentences：/ 다음 문장을 완성하시오：

1. 周末的时候，＿＿＿＿＿＿＿＿＿＿＿＿＿＿＿＿＿＿。（一般）

2. 在教室里不应该大声说话，＿＿＿＿＿＿＿＿＿＿＿＿＿＿。（影响）

3. 这个学校很漂亮，＿＿＿＿＿＿＿＿＿＿＿＿＿＿＿＿＿。（最少）

4. 我在中国生活得很好，＿＿＿＿＿＿＿＿＿＿＿＿＿＿＿。（一点也不……）

5. 说得不好，＿＿＿＿＿＿＿＿＿＿＿＿＿＿＿＿＿＿＿＿。（主要）

五、改写句子：/ Rewrite the sentences：/ 보기처럼 문장을 바꿔 쓰시오：

例：我早上6点到7点跑步。→我早上跑了一个小时步。

1. 下午从3点到6点他在写作业。

2. 我4点从商店开始走，4点半到了学校。

例：我很累，你呢？→不，我一点儿也不累。

3. 银行很远，对吗？

4.房间里很热吗?

5.你吃早饭了吗?

六、小作文:／Little composition:／ 간단한 작문 연습:

谈谈你每天都做的事，每件事你要做多长时间?

Dì-èrshíbā kè Nǐ hái shì hǎohāor tǎngzhe ba
第二十八课 你还是 好好儿 躺着 吧
Lesson Twenty-eight You'd better lie in a proper way
제 28 과 역시 좀 누워 있으세요

生词 Vocabulary 새로 나온 단어

1. 好好儿	(副)	hǎohāor	all out; to one's heart's content	잘. 충분히. 아주
2. 躺	(动)	tǎng	to lie; to recline	눕다. 드러눕다
3. 着	(助)	zhe	*aux. word*	진행태를 나타냄... 하고 있다... 한 채로
4. 照顾	(动)	zhàogù	to take care of; to care for	돌보다. 살피다
5. 老	(副)	lǎo	always	늘. 항상
6. 站	(动)	zhàn	to stand	서다. 일어서다
7. 窗户	(名)	chuānghu	window	창문
8. 关	(动)	guān	to close; to turn off	(문을) 닫다
9. 热	(形)	rè	hot	덥다. 뜨겁다
10. 感觉	(动)	gǎnjué	to feel; to become aware of	감각. 느끼다
11. 好处	(名)	hǎochù	advantage; benefit	좋은 점. 장점
12. 小姐	(名)	xiǎojiě	miss	아가씨
13. 长	(动)	zhǎng	to grow	성장하다. 자라다. 생기다
14. 样儿	(名)	yàngr	appearance	모양. 꼴. 형상
15. 头发	(名)	tóufa	hair	머리칼. 두발
16. 戴	(动)	dài	to wear; to put on	착용하다. 쓰다
17. 副	(量)	fù	*for a pair of things*	조. 쌍. 벌
18. 眼镜	(名)	yǎnjìng	glasses	안경
19. 上身	(名)	shàngshēn	upper part of the body	상반신
20. 下身	(名)	xiàshēn	lower part of the body	하반신
21. 条	(量)	tiáo	piece	가늘고 긴 것에 씀
22. 蓝色	(名)	lánsè	blue	남색
23. 牛仔裤	(名)	niúzǎikù	jeans	청바지
24. 门口	(名)	ménkǒu	doorway	입구. 현관
25. 画儿	(名)	huàr	painting	그림
26. 画	(动)	huà	to draw; to paint	(그림을) 그리다.
27. 裤子	(名)	kùzi	trousers; pants	바지
28. 脚	(名)	jiǎo	foot	다리
29. 手	(名)	shǒu	hand	손
30. 把	(量)	bǎ	*measure word*	손잡이가 있는 물건에 쓰임
31. 雨伞	(名)	yǔsǎn	umbrella	우산

一 你还是好好儿躺着吧

Yī Nǐ háishi hǎohāor tǎngzhe ba

Part One You'd better lie in a proper way

1 당신은 아무래도 푹 좀 누워서 쉬세요

（在医院）
(In hospital)
（병원에서）

女朋友：你在发烧呢，还是好好儿躺着吧，别的事我来做。
Nǚpéngyou: Nǐ zài fāshāo ne, háishi hǎohāor tǎngzhe ba, biéde shì wǒ lái zuò.

李林：你照顾我一天了，不要老站着，坐下休息休息吧。
Lǐ lín: Nǐ zhàogù wǒ yì tiān le, bú yào lǎo zhànzhe, zuòxià xiūxi xiūxi ba.

女朋友：我没事，一点儿也不累。窗户关着，你热不热？
Nǚpéngyou: Wǒ méi shì, yìdiǎnr yě bú lèi. Chuānghu guānzhe, nǐ rè bu rè?

李林：我不觉得热，你呢？
Lǐ lín: Wǒ bù juéde rè, nǐ ne?

女朋友：发烧的时候会觉得冷，我怎么忘了？现在感觉怎么样？
Nǚpéngyou: Fāshāo de shíhou huì juéde lěng, wǒ zěnme wàng le? Xiànzài gǎnjué zěnmeyàng?

李林：打了针以后，觉得好多了，就是有点儿困。
Lǐ lín: Dǎ le zhēn yǐhòu, juéde hǎo duō le, jiùshì yǒudiǎnr kùn.

女朋友：那你睡一会儿吧，多睡觉对你有好处。
Nǚpéngyou: Nà nǐ shuì yí huìr ba, duō shuìjiào duì nǐ yǒu hǎochù.

二　她穿着什么衣服
Èr　Tā chuānzhe shénme yīfu

Part Two　What does she wear

2　그녀는 어떤 옷을 입고 있습니까

（在机场，罗伯特从洗手间出来）
(At airport, Robert comes out from toilet)
(비행장에서, 로버트가 화장실에서 나오다)

罗伯特：小姐，请问你看到没看到一个外国女孩子？
Luóbótè：Xiǎojiě，qǐngwèn nǐ kàndào méi kàndào yí ge wàiguó nǚ háizi？

工作人员：她长得什么样儿？
Gōngzuò rényuán：Tā zhǎng de shénme yàngr？

罗伯特：她个子和你差不多高，头发很长，戴着一副眼镜。
Luóbótè：Tā gèzi hé nǐ chàbuduō gāo，tóufa hěn cháng，dàizhe yí fù yǎnjìng.

工作人员：她穿着什么衣服？
Gōngzuò rényuán：Tā chuānzhe shénme yīfu？

罗伯特：她上身穿着一件灰色的毛衣，下身穿着一条蓝色的牛仔裤。
Luóbótè：Tā shàngshēn chuānzhe yí jiàn huīsè de máoyī，xiàshēn chuānzhe yì tiáo lánsè de niúzǎikù.

工作人员：你看，餐厅门口坐着的那个女孩子是不是？
Gōngzuò rényuán：Nǐ kàn，cāntīng ménkǒu zuòzhe de nà ge nǚháizi shì bú shì？

罗伯特：对，就是她！谢谢你。
Luóbótè：Duì，jiùshì tā！Xièxie nǐ.

三 海伦的画儿
Sān Hǎilún de huàr

Part Three Helen's painting
3 헬렌의 그림

这是海伦的画儿，画儿上画着一个人，他五十岁左右，头上戴着一顶帽子，上身穿着一件白毛衣，下身穿着一条黑裤子，脚上穿着一双黑鞋，手里拿着一把雨伞，一个人在路上走着。

Zhè shì Hǎilún de huàr, huàr shàng huàzhe yí ge rén, tā wǔshí suì zuǒyòu, tóushang dài zhe yì dǐng màozi, shàngshēn chuānzhe yí jiàn bái máoyī, xiàshēn chuānzhe yì tiáohēi kùzi, jiǎo shang chuānzhe yì shuāng hēi xié, shǒu li názhe yì bǎ yǔsǎn, yí ge rénzài lù shang zǒuzhe.

语法 Grammar 어법

一、动态助词"着"/Dynamic auxiliary着 / 동태조사 "着"

表示动作持续的状态。

Dynamic auxiliary 着 indicates the state of being sustaining.

<동태조사 + 着 > 는 동작의 지속상태를 나타낸다.

例：1.办公室的门开着。

2.我们坐着，老师站着。

3.她戴着一副眼镜。

二、存现句 / Existential sentence / 존현문

表示人或事物在某处存在、出现或消失的动词谓语句叫做存现句。

A sentence indicating the existence, appearance or disappearance of a person or an object is called an existential sentence.

사람이나 사물이 어떤 장소에 간재, 혹은 출현하고 소실함을 나타내는 동사술어문을 존현문이라 한다.

例：1.她上身穿着一件灰色的毛衣，下身穿着一条蓝色的牛仔裤。

2.画儿上画着一个人。

3.我们班来了一个新同学。

4.昨天走了一个韩国学生。

练习 Exercises 연습 문제

一、朗读句子:/Read the sentences aloud:/아래 문장을 읽으시오:

1.你还是好好儿躺着吧,别的事我来做。

2.你照顾我一天了,不要老站着,坐下休息休息吧。

3.打了针以后,觉得好多了,就是有点儿困。

4.那你睡一会儿吧,多睡觉对你有好处。

5.请问你看到没看到一位外国女孩子?

6.她个子和你差不多高,头发很长,戴着一副眼镜。

7.她穿着什么衣服?

8.她上身穿着一件灰色的毛衣,下身穿着一条蓝色的牛仔裤。

二、组词成句:/Make sentences with the following words:/주어진 낱말로 문장을 완성하시오:

1.一件 着 她 穿 毛衣 灰色 的 上身

2.会 发烧 的 时候 冷 觉得

3.坐 餐厅 那个 不是 门口 着 女孩子 是 的

三、选词填空:/Fill in the blanks with the given words:/ 빈 칸에 적당한 낱말을 채워 넣으시오:

长 好处 戴 老 差不多 照顾

1.他的父母工作都很忙,没有时间________他。

2.不知道为什么,这几天我________睡不着。

3.很多年轻人都喜欢________帽子。

4.多练习发音对你有________。

5.他的女朋友______得很漂亮。

6.他们两个样子__________。

四、完成句子:／Complete the sentences:／ 다음 문장을 완성하시오:

1.____________________________________，你自己进来吧。(V+ 着)

2.____________________________，现在只有13个学生了。(存现句)

3.__________________________________，老师很生气。(老)

4.______________，所以他打算去旅游。(对……有好处)

5.你感冒了，_____________________________。(好好儿)

五、改写句子:／Rewrite the sentences:／ 보기처럼 문장을 바꿔 쓰시오:

1.一个人坐在教室门口。(存现句)

2.那边有一个人走来。(存现句)

3.有一个人站在食堂前边。(存现句)

4.姐姐拿了一把伞出去了。(V+ 着)

5.不要老坐在那儿，你应该起来走走。(V+ 着)

六、小作文:／Little composition:／ 간단한 작문 연습:

给朋友介绍你的房间。(练习“V+ 着”和“存现句”)

Dì-èrshíjiǔ kè　Wǒ yǐ wéi xiǎotōur bǎ wǒ de mó tuōchē tōu zǒu le

第二十九课　我以为小偷儿把我的摩托车偷走了

Lesson Twenty-nine　I had thought my motorbike was stolen

제 29 과　나는 좀도둑이 내 오토바이를 훔쳐간 줄 알았습니다

生词 Vocabulary 새로 나온 단어

1.以为	(动)	yǐwéi	to think; to feel	~라고 여기다
2.小偷儿	(名)	xiǎotōur	thief	좀도둑
3.把	(介)	bǎ	*used to advance the object of a verb to the position before it*	把자문에 쓰임
4.摩托车	(名)	mótuōchē	motorbike	오토바이
5.偷	(动)	tōu	to steal	훔치다
6.回	(量)	huí	(*used for happening or events*) piece	회. 차례
7.前天	(名)	qiántiān	the day before yesterday	그저께
8.骑	(动)	qí	to ride	타다(. 오토바이. 말. 자전거 등)
9.打车		dǎ chē	to take a taxi	택시를 타다
10.运气	(名)	yùnqi	fortune	운수. 운세
11.外边	(名)	wàibian	outside	바깥쪽
12.哎	(叹)	āi	to hey	아! 어!
13.拖鞋	(名)	tuōxié	slipper	슬리퍼
14.刷	(动)	shuā	to brush	(울로)닦다. 털다
15.阳台	(名)	yángtái	balcony	발코니
16.干	(形)	gān	dry	건조하다. 마르다
17.顺便	(副)	shùnbiàn	by the way; in passing	~하는 김에
18.报纸	(名)	bàozhǐ	newspaper	신문
19.递	(动)	dì	to give; to hand over	건네 주다
20.垃圾	(名)	lājī	garbage	쓰레기
21.倒	(动)	dào	to inverse; to pour	(통을)비우다. 따르다
22.太阳	(名)	tàiyáng	sun	태양
23.勤快	(形)	qínkuài	diligent	부지런하다
24.嘛	(叹)	ma	*interjection*	뚜렷한 사실을 강조할 때 쓰는 조사
25.怪不得	(副)	guàibude	no wonder	어쩐지
26.单身	(名)	dānshēn	single; alone	홀몸. 독신
27.规律	(名)	guīlǜ	rule; law	법칙. 규율
28.杯	(量)	bēi	cup	컵. 잔
29.简单	(形)	jiǎndān	simple; brief	간단하다
30.炒	(动)	chǎo	to fry	볶다

一 我 以为 小 偷儿 把 我 的 摩托车 偷 走 了
Yī Wǒ yǐwéi xiǎotōur bǎ wǒ de mótuōchē tōu zǒu le

Part One I had thought my motorbike was stolen

1 나는 좀도둑이 내 오토바이를 훔쳐갔다고 생각했습니다

（校园里，李知恩遇到骑摩托车的朴大佑）
(Li Zhi'en comes across Piao Dayou, who is riding a motorbike on the campus)
(교정에서 이지은이 오토바이를 타고 오는 박대우와 만나다)

李知恩：大佑，你 的 摩托车 不 是 丢了 吗？
Lǐ Zhī'ēn：Dàyòu，nǐ de mótuōchē bú shì diū le ma？

朴 大佑：我 以为 小 偷儿 把 我 的 摩托车 偷 走 了。
Piáo Dàyòu：Wǒ yǐwéi xiǎotōur bǎ wǒ de mótuōchē tōu zǒu le.

李知恩：怎么 回 事？
Lǐ Zhī'ēn：Zěnme huí shì？

朴 大佑：前 天 晚 上 我 骑 摩托车 去 吃 饭，吃 完 饭 就 打 车 回来 了。
Piáo Dàyòu：Qiántiān wǎnshang wǒ qí mótuōchē qù chī fàn，chī wán fàn jiù dǎ chē huí lái le.

李知恩：你 把 摩托车 忘 在 那儿 了？
Lǐ Zhī'ēn：Nǐ bǎ mótuōchē wàng zài nàr le？

朴 大佑：对，今天 我 又 去 那 个 饭店，他们 把 摩托车 还 给 我 了。
Piáo Dàyòu：Duì，jīntiān wǒ yòu qù nà ge fàndiàn，tāmen bǎ mótuōchē huán gěi wǒ le.

李知恩：你的 运气 真 好。
Lǐ Zhī'ēn：Nǐ de yùnqi zhēn hǎo.

二 快把门关上
Èr Kuài bǎ mén guān shàng

Part Two Shut the door quickly

2 빨리 문을 닫으세요

（在王玲家里）
(at Wang Ling's home)
(왕령의 집에서)

王 玲：快把门关上，外边太冷了。
Wáng Líng: Kuài bǎ mén guān shàng，wàibian tài lěng le.

丈夫：好，哎，你把我的拖鞋放哪儿了？
Zhàngfu：Hǎo，āi，nǐ bǎ wǒ de tuōxié fàng nǎr le？

王 玲：我都刷了，在阳台上，现在应该干了。
Wáng Líng: Wǒ dōu shuā le，zài yángtái shàng，xiànzài yīnggāi gān le.

丈夫：我自己去拿吧。
Zhàngfu：Wǒ zìjǐ qù ná ba.

王 玲：顺便把报纸递给我。
Wáng Líng: Shùnbiàn bǎ bàozhǐ dì gěi wǒ.

丈夫：我再把垃圾倒了吧？
Zhàngfu：Wǒ zài bǎ lājī dào le ba？

王 玲：今天太阳从西边出来了？你怎么这么勤快啊？
Wáng Líng: Jīntiān tàiyang cóng xībian chūlai le？Nǐ zěnme zhème qínkuai a？

丈夫：你忘了，今天是你的生日嘛。
Zhàngfu：Nǐ wàng le，jīntiān shì nǐ de shēngrì ma.

王 玲：怪不得呢，那你把饭也做了吧。
Wáng Líng: Guàibude ne，nà nǐ bǎ fàn yě zuò le ba.

丈夫：啊？！
Zhàngfu：A？!

三 李林下班以后的生活
Sān Lǐ lín xià bān yǐhòu de shēnghuó

Part Three Off work Life of Li Lin

3 이림의 퇴근 이후의 생활

李林现在还是单身，他的生活很有规律，每天下班回家，把门
Lǐ Lín xiànzài hái shi dānshēn，tā de shēnghuó hěn yǒu guīlǜ，měitiān xiàbān huí jiā，bǎ mén
打开后，先为自己倒上一杯茶，再把电视打开，一边看电视，一边
dǎkāi hòu，xiān wèi zì jǐ dàoshàng yì bēi chá，zài bǎ diànshì dǎkāi，yì biān kàndiànshì，yì biān
喝茶。半个小时以后，就开始准备饭菜，他一个人生活，所以饭菜也
hēchá. Bànge xiǎoshí yǐhòu，jiù kāishǐ zhǔnbèi fàncài，tā yí ge rén shēnghuó，suǒyǐ fàncài yě
很简单。有时候把米饭热一热，再炒一个菜就可以了。
hěn jiǎndān. Yǒu shíhou bǎ mǐfàn rè yí rè，zài chǎo yí ge cài jiù kěyǐ le.

语法 Grammar 어법

一、“把”字句（1）/“把” sentence / 把자문

1. 意义 / Meaning / 의미

A. 表示通过动作对“把”后的名词、代词怎么处置以及处置的结果，基本句型是：

主语 + 把 + 名词 / 代词 + 动词 + 其他成分。

The sentence indicates that how we deal with the noun and the pronoun after **“把”** and the result through movement. The basic pattern is:

Subject+ 把 +n. / pron.+v.+other component.

의미상에 있어서，어떤 동작을 통하여 把 뒤에 오는 명사, 대명사를 어떻게 처리하고, 그 처리한 결과가 어떻다는 것을 표시한다. 그 기본 문형은：

< 주어 + 把 + 명사 / 대명사 + 동사 + 기타성분 > 의 형식이다.

例：1. 我以为小偷把我的摩托车偷走了。

2. 你把摩托车忘在那儿了。

3. 他们把摩托车还给我了。

B. 表示使“把”后的名词、代词怎么样。

Indicates how the verb treats the noun or pronoun after **“把”**.

把 뒤의 명사. 대명사를 어떻게 했는가를 나타낸다.

例：1.快把我忙死了。

2.把我气极了。

C.表示动作的处所或范围。

Indicates the place or the range of movement.

동작이 미치는 곳이나 범위를 나타낸다.

例：1.我把所有的地方都找了。

2.我把爸爸的衣服都洗了。

2. 用法 / Usage/ 용법

“把”后的动词不能是简单的动词。

The verb after “把” is not simply a verb.

용법상에 있어서，把뒤의 동사는 간단한 동사로 끝날 수 없다. 그 방법으로는

a.动词 + 了 / 着：verb+ 了 / 着

< 동사 + 了 / 着 >의 형식을 취하거나

例：1.请把这个苹果吃了。

2.你把书拿着。

b.动词重叠：verb overlapping

또는 동사를 중첩 시킨다

例：1.把衣服洗洗。

2.把米饭热热。

c.动词后带补语：verb + complement

동사 뒤에 보어를 둔다

例：1.请把门打开。

2.我把书放进了包里。

3.他把报纸放在桌子上。

二、“怪不得” / No wonder/ 부사 怪不得

表示明白了原因，不再觉得奇怪。

“怪不得” indicates that one doesn't feel strange after understand the reason.

어떤 원인을 분명하게 알고 난 후에 < 더 이상 이상하게 여기지 않는다 >는 뜻이다.

例：1.怪不得他的汉语那么好，他在中国住了三年。

2.她生病了，怪不得没来上课。

3.外边下雪了，怪不得这么冷。

练习 Exercises 연습 문제

一、朗读句子:/Read the sentences aloud:/아래 문장을 읽으시오:

1.我以为小偷把我的摩托车偷走了。

2.你把摩托车忘在那儿了?

3.他们把摩托车还给了我。

4.快把门关上,外边太冷了。

5.你把我的拖鞋放哪儿了?

6.顺便把报纸递给我。

7.你怎么这么勤快啊?

8.怪不得呢,那你把饭也做了吧。

9.有时候把米饭热一热,再炒一个菜就可以了。

二、组词成句:/Make sentences with the following words:/주어진 낱말로 문장을 완성하시오:

1.我 走 摩托车 小偷 了 以为 我 把 的 偷

2.我 把 了 还 他们 摩托车 给

3.我 倒 把 了 吧 再 垃圾

三、选词填空:/Fill in the blanks with the given words:/ 빈 칸에 적당한 낱말을 채워 넣으시오:

运气 勤快 递 规律 倒

1.请你给我__________一杯茶。

2.请把这本书__________给我。

3.张明的自行车丢了,可是又找到了,他的__________真好。

4.我的同屋每天都打扫房间,很__________。

5.刚来中国的时候,我的生活很没有__________。

四、完成句子:/Complete the sentences:/ 다음 문장을 완성하시오:

1.________________,很对不起。(把)

2.他感冒了，____________________。(怪不得)

3.你还在这儿，____________________。(以为)

4.我要去北京旅行，____________________。(顺便)

5.我常常______________________________。(一边……一边……)

五、改写句子:/Rewrite the sentences:/ 보기처럼 문장을 바꿔 쓰시오:

1.他拿走了我的词典。(把)

2.爸爸没看完那本书。(把)

3.小偷偷走了我的自行车。(把)

4.请读读这些生词。(把)

5.你怎么不喝了这杯酒？(把)

六、小作文:/ Little composition:/ 간단한 작문 연습:

谈谈你的周末生活。

Dì-sānshí kè Jiàqī nǐ yǒu shénme dǎsuàn

第三十课 假期你有什么打算

Lesson Thirty What is your plan in vacation

제 30 과 당신은 휴가 동안 어떤 스케줄이 있습니까

生词 Vocabulary 새로 나온 단어

1.假期	(名)	jiàqī	vacation	휴가. 휴가기간
2.要…了		yào…le	to be going to…	막...하려고 하다
3.打工		dǎ gōng	to do work for others	일하다. 노동하다. 아르바이트하다
4.广告	(名)	guǎnggào	advertisement	광고. 선전
5.经理	(名)	jīnglǐ	manager	기업의 책임자. 부장
6.帮忙		bāng máng	to help	일을 돕다. 원조하다
7.旅行社	(名)	lǚxíngshè	travel angecy	여행사
8.导游	(名)	dǎoyóu	tour guide	관광안내원
9.家庭	(名)	jiātíng	family	가정
10.教师	(名)	jiàoshī	teacher	교사
11.结婚	(动)	jiéhūn	to marry	결혼하다
12.大约	(副)	dàyuē	about; approximately	대략. 대개. 아마도. 대개는
13.好玩儿	(形)	hǎowánr	funny	놀기가 좋다. 재미있다
14.紧张	(形)	jǐnzhāng	tight; in short supply	긴장하다. 바쁘다
15.计划	(名)	jìhuà	plan	계획
16.继续	(动)	jìxù	to continue	계속하다
17.开学		kāi xué	(of a school term) to begin	개학하다
18.安排	(名)	ānpái	arrangement	안배하다
19.外地	(名)	wàidì	other places in the country	타지. 외지
20.该	(助)	gāi	ought to; should	마땅히... 해야 한다
21.决定	(动)	juédìng	to decide	결정하다
22.选	(动)	xuǎn	to elect	고르다. 선택하다
23.代表	(名)	dàibiǎo	representative	대표
24.全	(形)	quán	full; whole	전체의. 모든
25.祝福	(动)	zhùfú	to bless; to wish	축복하다

专名 Proper Noun 고유명사

四川	Sìchuān	Sichuan	사천

一 假期你有 什么打算
Yī Jiàqī nǐ yǒu shénme dǎsuàn

Part One What is your plan in vacation
1 휴가기간 동안 당신은 어떤 스케줄이 있습니까

(朴大佑和海伦谈假期计划)
(Piao Dayou and Helen talk about their plans in vacation)
(박대우와 헬렌이 휴가계획을 얘기함)

朴大佑： 海伦，马上 要 放假了，假期 你有 什么 打算？
Piáo Dàyòu： Hǎilún，mǎshàng yào fàngjià le，jiàqī nǐ yǒu shénme dǎsuàn？

海伦： 我 想 去 旅行。你 呢？
Hǎilún： Wǒ xiǎng qù lǚxíng. Nǐ ne？

朴大佑： 我 打算 先 回国 打 工，有了 钱 再 去 旅行。
Piáo Dàyòu： Wǒ dǎsuàn xiān huíguó dǎgōng，yǒu le qián zài qù lǚxíng.

海伦： 你 想 做 什么 工 作？
Hǎilún： Nǐ xiǎng zuò shénme gōngzuò？

朴大佑： 我 朋友 的 爸爸 是 一 家 广告 公司 的 经理，他 让 我 去 他 公司 帮 忙。你 以前 打过 工 吗？
Piáo Dàyòu： Wǒ péngyou de bàba shì yì jiā guǎnggào gōngsī de jīnglǐ，tā ràng wǒ qù tā gōng sī bāng máng. Nǐ yǐqián dǎguo gōng ma？

海伦： 当然 打过。我 送 过 报纸，在 旅行社 当过 导游，也 当 过 家庭 教师。
Hǎilún： Dāngrán dǎguo. Wǒ sòng guo bàozhǐ，zài lǚxíngshè dāngguo dǎoyóu，yě dāng guo jiātíng jiàoshī.

二　我姐姐就要结婚了
Èr　Wǒ jiějie jiù yào jiéhūn le

Part Two　My sister is going to get married

2　내 언니가 곧 결혼 합니다

（刘老师和李知恩谈假期计划）
(Mr. Liu and Li Zhi'en talk about their plans in vacation)
(류선생님과 이지은이 휴가겨획 에 대해 얘기하다)

李知恩：刘老师，听说您要去旅行，您打算去哪儿？
Lǐ Zhī'ēn： Liú lǎoshī， tīngshuō nín yào qù lǚxíng， nín dǎsuàn qù nǎr？

刘老师：我想去四川和云南。
Liú lǎoshī： Wǒ xiǎng qù Sìchuān hé Yúnnán.

李知恩：去多长时间？
Lǐ Zhī'ēn： Qù duō cháng shíjiān?

刘老师：大约两个星期。
Liú lǎoshī： Dàyuē liǎng ge xīngqī.

李知恩：听说四川和云南都很大，有很多好玩儿的地方。
Lǐ Zhī'ēn： Tīngshuō Sìchuān hé Yúnnán dōu hěn dà，yǒu hěn duō hǎowánr de dìfang

刘老师：是啊，两个星期的时间可能很紧张。你假期有什么计划？
Liú lǎoshī： Shì a，liǎng ge xīngqī de shíjiān kěnéng hěn jǐnzhāng. Nǐ jiàqī yǒu shénme jìhuà？

李知恩：我姐姐就要结婚了，我要回国参加她的婚礼。
Lǐ Zhī'ēn： Wǒ jiějie jiù yào jiéhūn le，wǒ yào huíguó cānjiā tā de hūnlǐ.

刘老师：你下个学期还要继续在这儿学习汉语吗？
Liú lǎoshī： Nǐ xià ge xuéqī hái yào jìxù zài zhèr xuéxí hànyǔ ma？

李知恩：是的，我开学以前就回来。
Lǐ Zhī'ēn： Shì de，wǒ kāi xué yǐqián jiù huí lái.

三 我们 快 要 放假了
Sān Wǒmen kuài yào fàng jià le

Part Three We are going to be in vacation
3 우리는 곧 방학합니다

我们 快 要 放假了，听说 这 个 假期 我们 的 精读老师 就 要 结婚了，
Wǒmen kuài yào fàngjià le，tīngshuō zhè ge jiàqī wǒmen de jīngdú lǎoshī jiù yào jiéhūn le，
我们 班 的 同学 都 想 去参加 她的 婚礼，可是 很 多 同学 已经 做好了 假
wǒmen bān de tóngxué dōu xiǎng qù cānjiā tā de hūnlǐ， kěshì hěn duō tóngxué yǐjing zuòhǎo le jià
期 的 安排，有的 打算 回 国，有的 打算 去 外地 旅行，还 有的 假期 以后 就
qī de ānpái，yǒude dǎsuàn huí guó，yǒude dǎsuàn qù wàidì lǚxíng，hái yǒude jiàqī yǐhòu jiù
不 回来了。同 学们 都 非常 想 参加老师的 婚礼，该 怎么办 好 呢？最后
bù huílai le．Tóngxuémen dōu fēicháng xiǎng cānjiā lǎoshī de hūnlǐ， gāi zěnmebàn hǎo ne？Zuìhòu
我们 决定 选 一个代表，让 他 代表 我们 全 班 去参加 婚礼，去 祝福 我
wǒmen juédìng xuǎn yí ge dàibiǎo，ràng tā dàibiǎo wǒmen quán bān qù cānjiā hūnlǐ， qù zhùfú wǒ
们 的 老师。
men de lǎoshī．

语法 Grammar 어법

一、“快要……了”、“就要……了”、“要……了”／Be going to／곧 ~하려 한다

表示动作即将发生。

Indicates an action is going to happen soon.

어떤 동작이 곧 발생할 것임을 나타낸다.

例：1．他快要回国了。

2．火车就要开了，你快上车吧。

3．下个周就要考试了。

“就要……了”、“要……了”格式中，“就要”、“要”之前可以加时间状语，“快要…了”格式中，“快要”前不可以加时间状语。

In **“就要……了”、“要……了”** pattern, the time adverbial can be put in front of **“就要”、“要”**. In pattern **“快要……了”**, there should not be a time adverbial in front of **“快要”**.

＜就要…了＞나 ＜要…了＞의 격식에서 ＜就要 와 要 ＞의 앞에는 시간부사어를 넣을 수 있지만 ＜快要…了 ＞의 격식에서는 ＜快要＞앞에 시간부사어를 넣을 수 없다.

例：1.我下个星期就要工作了。

2.明天他要结婚了。

3.他后天就要回国了。

二、选择疑问句:“(是)……还是……”/ Alternative questions “(是)……还是……”/ 선택의문문 (是) ……还是……

用“(是)……还是……”连接两种可能的答案，由回答的人做出选择，这种疑问句叫选择疑问句。

The question using “(是)……还是……” to connect two possible solutions for responder to choose is called alternative question.

<(是)… 还是… >는 두 개 이상의 대답 가능한 답이 있을 때，그 대답을 대답하는 사람이 선택할 수 있게 묻는 의문문인데 이러한 의문문을 선택의문문이라고 한다.

例：1.你是韩国人还是中国人？
2.你喜欢喝茶还是喜欢喝咖啡？
3.你喝啤酒还是喝可乐？

练习 Exercises 연습 문제

一、朗读句子:/ Read the sentences aloud: / 아래 문장을 읽으시오:

1.假期你有什么打算？
2.我打算先回国打工，有了钱再去旅行。
3.你以前打过工吗？
4.我送过报纸，在旅行社当过导游，也当过家庭教师。
5.听说四川和云南都很大，有很多好玩儿的地方。
6.我姐姐就要结婚了，我要回国参加她的婚礼。
7.你下个学期还要继续在这儿学习汉语吗？
8.很多同学已经做好了假期的安排，有的打算回国，有的打算去外地旅行。
9.让他代表我们全班去参加婚礼，去祝福我们的老师。

二、组词成句:/ Make sentences with the following words: / 주어진 낱말로 문장을 완성하시오:

1.爸爸 我 一 朋友 的 经理 是 家 公司 广告 的
2.公司 帮忙 他 我 去 让 他
3.下个 还 你 学期 这儿 继续 要 在 汉语 学习 吗

三、选词填空: / Fill in the blanks with the given words: / 빈 칸에 적당한 낱말을 채워 넣으시오:

打工　安排　紧张　该　选　决定　继续

1. 明年我要________住在这里。
2. 很多大学生在假期里去校外________。
3. 这次考试我太________了，考得不太好。
4. 吃和住的问题，学校都________好了。
5. 我们________他当我们的代表去参加那个晚会。
6. 八点了，________上课了。
7. 毕业的时候，我们________去国外旅行。

四、完成句子: / Complete the sentences: / 다음 문장을 완성하시오:

1. ________________，你们应该好好儿复习。(要……了)
2. ________________，我们快走吧。(快要……了)
3. ________________，我们去送他吗？(就要……了)
4. 你脸色不太好，________________。(还是……)
5. 你感冒了，________________。(好好儿)
6. 这个包很重，________________。(大约)

五、回答问题: / Answer the questions: / 물음에 답하시오:

要……了，快要……了，就要……了

1. 还有五分钟上课。
2. 他星期一回国。
3. 我们下个月考试。
4. 火车还有一刻钟开。
5. 我们明年毕业。

六、小作文: / Little composition: / 간단한 작문 연습:

假期快到了，谈谈你的打算。

词汇总表

A

啊	a	15
哎	āi	29
矮	ǎi	26
爱	ài	25
爱好	àihào	17
爱人	àiren	25
安排	ānpái	30
安慰	ānwèi	18

B

吧	ba	7
把	bǎ	28
把	bǎ	29
爸爸	bàba	8
白	bái	10
白天	báitiān	27
班	bān	7
办公室	bàngōngshì	7
半	bàn	9
帮	bāng	18
帮忙	bāng máng	30
帮助	bāngzhù	21
棒	bàng	21
棒球帽	bàngqiú mào	10
包	bāo	19
包裹	bāoguǒ	18
报纸	bàozhǐ	29
杯	bēi	29
北边	běibian	11
北方	běifāng	26
比	bǐ	23
比较	bǐjiào	14
比赛	bǐsài	23
遍	biàn	12
别	bié	17
别人	biéren	24
冰淇淋	bīngqílín	23
冰箱	bīngxiāng	24
病	bìng	27
不	bù	5
不错	búcuò	19
不好意思	bù hǎoyìsi	20
不客气	bú kèqi	11
不如	bùrú	25
不用	búyòng	20
步	bù	13
部	bù	24
部	bù	24

C

猜	cāi	24
才	cái	24
菜	cài	13
菜单	càidān	13
餐厅	cāntīng	27
操场	cāochǎng	11

电	diàn	24
电话	diànhuà	12
电脑	diànnǎo	20
电视	diànshì	13
电梯	diàntī	24
电影	diànyǐng	15
顶	dǐng	10
丢	diū	20
东边	dōngbian	11
东西	dōngxi	9
冬天	dōngtiān	26
懂	dǒng	20
读	dú	12
堵	dǔ	25
肚子	dùzi	16
度	dù	26
锻炼	duànliàn	27
队	duì	23
对	duì	26
对	duì	5
对不起	duìbuqǐ	9
对方	duìfāng	25
多	duō	7
多大	duō dà	9
多少	duōshao	10

E

而且	érqiě	25
二	èr	7
二十八	èrshíbā	9
二十三	èrshísān	9

F

发烧	fā shāo	16
发现	fāxiàn	20
发音	fāyīn	7
饭	fàn	9
饭店	fàndiàn	19
方便	fāngbiàn	19
方法	fāngfǎ	18
房间	fángjiān	13
房子	fángzi	19
放	fàng	24
放假	fàng jià	17
放心	fàng xīn	23
飞机	fēijī	19
分钟	fēnzhōng	26
辅导	fǔdǎo	8
附近	fùjìn	11
副	fù	28

G

该	gāi	30
干	gān	29
干	gàn	23
干净	gānjìng	15
干吗	gànmá	26
感	gǎn	15
感觉	gǎnjué	28
感冒	gǎnmào	16

感谢	gǎnxiè	21
刚	gāng	19
刚才	gāngcái	14
高	gāo	16
高兴	gāoxìng	7
告诉	gàosu	18
哥哥	gēge	8
歌厅	gētīng	19
个	gè	8
个子	gèzi	16
给	gěi	8
跟	gēn	22
更	gèng	10
工具	gōngjù	25
工作	gōngzuò	8
公共汽车	gōnggòng qìchē	19
公斤	gōngjīn	26
公司	gōngsī	12
公园	gōngyuán	14
孤独	gūdú	18
拐	guǎi	11
怪不得	guàibude	29
关	guān	28
关系	guānxi	25
关心	guānxīn	18
光临	guānglín	13
光盘	guāngpán	20
广告	guǎnggào	30
逛	guàng	6
规律	guīlǜ	29
贵	guì	5
国	guó	5
过	guò	17
过	guò	21

H

还	hái	12
还是	háishi	22
孩子	háizi	12
汉堡	hàn bǎo	23
好	hǎo	5
好吃	hǎochī	18
好处	hǎochu	28
好好儿	hǎohāor	28
好看	hǎokàn	10
好玩儿	hǎowánr	30
好像	hǎoxiàng	22
号	hào	9
号码	hàomǎ	12
喝	hē	13
合适	héshì	10
黑	hēi	10
很	hěn	7
红	hóng	16
后来	hòulái	24
护照	hùzhào	12
花	huā	19
画	huà	28
画儿	huàr	28
坏	huài	20

欢迎	huānyíng	13
还	huán	20
环境	huánjìng	27
换	huàn	14
回	huí	29
回	huí	6
会	huì	21
会议	huìyì	12
活泼	huópō	25
火车	huǒchē	22

J

机场	jīchǎng	12
机会	jīhuì	15
极	jí	15
几	jǐ	8
计划	jìhuà	30
记者	jìzhě	16
继续	jìxù	30
寄	jì	18
加油	jiā yóu	23
家	jiā	6
家电	jiādiàn	22
家庭	jiātíng	30
价格	jiàgé	22
假期	jiàqī	30
捡	jiǎn	20
检查	jiǎnchá	21
简单	jiǎndān	29
件	jiàn	22
讲	jiǎng	20
交	jiāo	21
交流	jiāoliú	27
交通	jiāotōng	25
脚	jiǎo	28
叫	jiào	5
教	jiāo	6
教练	jiàoliàn	21
教师	jiàoshī	30
教室	jiàoshì	7
教学楼	jiàoxuélóu	20
接	jiē	14
结果	jiéguǒ	24
结婚	jiéhūn	30
姐姐	jiějie	8
介绍	jièshào	8
借	jiè	20
今年	jīnnián	9
今天	jīntiān	8
斤	jīn	10
紧张	jǐnzhāng	30
尽量	jǐnliàng	23
近	jìn	11
进	jìn	23
进步	jìnbù	18
经济	jīngjì	17
经理	jīnglǐ	30
经历	jīnglì	17
精彩	jīngcǎi	15

K

L

M

妈妈	māma	8
马路	mǎlù	11
马上	mǎshàng	14
吗	ma	5
嘛	ma	29
买	mǎi	9
慢	màn	21
忙	máng	7
毛衣	máoyī	23
帽子	màozi	10
没	méi	8
没关系	méi guānxi	14
没意思	méi yìsi	13
每	měi	24
每天	měitiān	7
美	měi	15
美丽	měilì	22
妹妹	mèimei	8
门	mén	18
门口	ménkǒu	28
们	men	5
米饭	mǐfàn	13
密码	mìmǎ	12
名胜古迹	míngshèng gǔjì	22
名字	míngzi	5
明天	míngtiān	9
摩托车	mótuōchē	29

N

拿	ná	18
哪	nǎ	5
哪儿	nǎr	6
那	nà	10
那边	nàbian	24
那儿	nàr	11
那么	nàme	24
奶奶	nǎinai	12
南边	nánbian	11
南方	nánfāng	26
难	nán	7
难道	nándào	23
呢	ne	6
内向	nèixiàng	25
能	néng	18
你	nǐ	5
您	nín	5
牛仔裤	niúzǎikù	28
暖和	nuǎnhuo	26

P

爬	pá	17
怕	pà	20
胖	pàng	25
跑	pǎo	13
陪	péi	18

朋友	péngyou	5
碰	pèng	22
啤酒	píjiǔ	13
脾气	píqi	25
便宜	piányi	10
漂亮	piàoliang	11
票	piào	24
乒乓球	pīngpāngqiú	21
苹果	píngguǒ	10
瓶	píng	13

Q

其中	qízhōng	17
骑	qí	29
起	qǐ	27
起床	qǐ chuáng	13
气温	qìwēn	26
千	qiān	12
前	qián	11
前边	qiánbian	11
前年	qiánnián	17
前天	qiántiān	29
钱	qián	10
勤快	qínkuài	29
清楚	qīngchu	16
请	qǐng	12
请问	qǐngwèn	10
球迷	qiúmí	23
取	qǔ	18
去	qù	6
去年	qùnián	17
全	quán	30
确实	quèshí	22

R

然后	ránhòu	19
让	ràng	18
热	rè	28
人	rén	5
人民币	rénmínbì	12
认识	rènshi	7
认为	rènwéi	22
认真	rènzhēn	26
容易	róngyì	7
如果	rúguǒ	16

S

三	sān	8
散步	sàn bù	13
嗓子	sǎngzi	16
商场	shāngchǎng	22
商店	shāngdiàn	6
上	shàng	7
上班	shàng bān	12
上身	shàngshēn	28
上网	shàng wǎng	9
上午	shàngwǔ	9
少	shǎo	17

T

W

外边	wàibian	29
外地	wàidì	30
外国	wàiguó	17
外面	wàimiàn	27
外向	wàixiàng	25
外语	wàiyǔ	18
完	wán	20
完全	wánquán	25
玩儿	wánr	15
晚	wǎn	13
晚上	wǎnshang	9
碗	wǎn	13
万	wàn	19
网吧	wǎngbā	6
网球	wǎngqiú	21
往	wǎng	11
忘	wàng	23
为	wèi	23
为什么	wèi shénme	14
位	wèi	14
喂	wèi	14
文化	wénhuà	25
问	wèn	12
问题	wèntí	16
我	wǒ	5
五	wǔ	8
午饭	wǔfàn	22

X

希望	xīwàng	26
习惯	xíguàn	27
洗	xǐ	13
喜欢	xǐhuan	10
下	xià	12
下班	xià bān	19
下身	xiàshēn	28
下午	xiàwǔ	8
下雪	xià xuě	26
吓	xià	24
先	xiān	16
相信	xiāngxìn	25
想	xiǎng	13
像	xiàng	18
消息	xiāoxi	18
小贩	xiǎofàn	10
小姐	xiǎojiě	28
小时	xiǎoshí	17
小偷儿	xiǎotōur	29
校园	xiàoyuán	11
鞋子	xiézi	10
写	xiě	12
谢谢	xièxie	11
新	xīn	22
新闻	xīnwén	23
兴趣	xìngqù	15
星期六	xīngqīliù	9
星期天	xīngqītiān	9

行	xíng	20
姓	xìng	5
幸亏	xìngkuī	24
性格	xìnggé	25
休息	xiūxi	13
修	xiū	20
需要	xūyào	17
选	xuǎn	30
学	xué	21
学期	xuéqī	25
学生	xuésheng	7
学习	xuéxí	6
学校	xuéxiào	11
雪景	xuě jǐng	26

Y

颜色	yánsè	10
眼镜	yǎnjìng	28
演出	yǎnchū	15
阳台	yángtái	29
样儿	yàngr	28
样子	yàngzi	10
邀请	yāoqǐng	22
药	yào	16
要…了	yào... le	30
要是	yàoshi	21
爷爷	yéye	23
一般	yìbān	27
一边…一边	yìbiān...yìbiān	17
一点儿	yìdiǎnr	10
一定	yídìng	18
一共	yígòng	10
一会儿	yíhuìr	20
一楼	yì lóu	14
一起	yìqǐ	9
一下儿	yíxiàr	12
一样	yíyàng	18
一直	yìzhí	23
衣服	yīfu	13
医院	yīyuàn	16
遗憾	yíhàn	15
已经	yǐjīng	26
以后	yǐhòu	13
以前	yǐqián	17
以为	yǐwéi	29
意思	yìsi	24
因为	yīnwèi	21
音乐	yīnyuè	13
银行	yínháng	11
应该	yīnggāi	16
影响	yǐngxiǎng	27
拥挤	yōngjǐ	25
游戏	yóuxì	15
友好	yǒuhǎo	7
有	yǒu	8
有点儿	yǒu diǎnr	13
有名	yǒumíng	17
有时候	yǒu shíhòu	6
有意思	yǒu yìsi	7
又…又…	yòu...yòu...	15

又	yòu	18
右	yòu	11
右边	yòubian	11
幼儿园	yòu'éryuán	26
雨伞	yǔsǎn	28
语法	yǔfǎ	7
语言	yǔyán	27
预报	yùbào	26
原来	yuánlái	22
原因	yuányīn	18
远	yuǎn	11
约会	yuēhuì	22
月	yuè	9
越…越…	yuè…yuè…	26
越来越	yuè lái yuè	19
运动	yùndòng	13
运气	yùnqi	29

Z

再	zài	11
再见	zàijiàn	6
再说	zàishuō	19
在	zài	14
咱们	zánmen	20
早	zǎo	23
早晨	zǎochen	14
早饭	zǎofàn	27
早上	zǎoshàng	16
怎么	zěnme	11
怎么办	zěnme bàn	12
怎么样	zěnmeyàng	8
站	zhàn	28
着急	zháojí	20
照顾	zhàogù	28
这	zhè	5
这儿	zhèr	11
这么	zhème	22
这样	zhèyàng	18
真	zhēn	15
正好	zhènghǎo	25
正在	zhèngzài	14
之一	zhī yī	25
知道	zhīdào	10
知识	zhīshi	18
只	zhǐ	17
只好	zhǐhǎo	24
纸条	zhǐtiáo	20
质量	zhìliàng	22
中午	zhōngwǔ	20
种	zhǒng	17
重要	zhòngyào	25
周	zhōu	19
周末	zhōumò	6
主要	zhǔyào	27
主意	zhǔyi	19
注意	zhùyì	16
祝福	zhùfú	30
专业	zhuānyè	17
准备	zhǔnbèi	12
着	zhe	28
自己	zìjǐ	14

自信	zìxìn	27
自行车	zìxíngchē	20
走	zǒu	11
足球	zúqiú	6
最	zuì	10
最好	zuìhǎo	17
最后	zuìhòu	24
最近	zuìjìn	7
最少	zuì shǎo	27
昨天	zuótiān	15
左边	zuǒbian	11
左右	zuǒyòu	17
作业	zuòyè	7
坐	zuò	17
做	zuò	14
做客	zuò kè	18

专名

宝宝	Bǎobao	26
贝贝	Bèibei	26
德国	Déguó	5
DVD机	DVDjī	22
海伦	Hǎilún	5
韩国	Hánguó	5
汉语	Hànyǔ	6
京剧	Jīngjù	14
李林	Lǐ Lín	10
李知恩	Lǐ Zhī'ēn	5
刘	Liú	6
罗伯特	Luóbótè	5
麻婆豆腐	Má Pó Dòufu	13
麦当劳	Màidāngláo	23
美国	Měiguó	5
朴大佑	Piáo Dàyòu	5
日本	Rìběn	17
上海	Shànghǎi	15
圣诞节	Shèngdàn Jié	26
四川	Sìchuān	30
太极拳	Tàijíquán	14
泰国	Tài guó	17
泰山	Tài Shān	17
外滩	Wàitān	15
五一	Wǔ Yī	17
西安	Xī'ān	22
西红柿鸡蛋汤	Xīhóngshì Jīdàn Tāng	13
新疆	Xīnjiāng	17
亚洲	Yàzhōu	17
印度	Yìndù	17
云南	Yúnnán	17
张明	Zhāng Míng	5
中国	Zhōngguó	5